...res no saben...

La Erótica

**VV. AA.**

# Lo que los hombres no saben...

*El sexo contado por las mujeres*

Edición y prólogo de Lucía Etxebarria

**mr · ediciones**

PARA LAS FOTOGRAFÍAS DE LAS AUTORAS
Ángel de Antonio por la foto de Lola Beccaria; Cecele por la foto de Cecele; Silvia Uslé por la foto de Silvia Uslé; José Manuel Cendón por la foto de Marta Sanz; Jerónimo Álvarez por la foto de Silvia Grijalba; Rebeca Sinovila por la foto de Espido Freire; Elena Echarren Aguilar por la foto de Coché Echarren; Hub Martin por la foto de Eugenia Rico; Lluís Miquel Palomares por la foto de Imma Turbau; M. A. Caparroso por la foto de María Frisa


Ediciones Temas de Hoy es un sello editorial de Ediciones Planeta Madrid, S. A.
Paseo de Recoletos, 4. 28001 Madrid (España)
www.mrediciones.com

Diseño de la cubierta: Departamento de Diseño, División Editorial del Grupo Planeta
Fotografía de la autora: © Lucía Etxebarria por LuisGaspar.com
Primera edición en Colección Booket: abril de 2009
Segunda impresión: septiembre de 2009
Tercera impresión: marzo de 2010

Depósito legal: B. 13.283-2010
ISBN: 978-84-270-3524-9
Impresión y encuadernación: Litografía Rosés, S. A.
Printed in Spain - Impreso en España

**Biografía**

Nacida en 1966, la aparición en 1997 de su novela *Amor, curiosidad, prozac y dudas* la reveló como una de nuestras narradoras más innovadoras. En 1998 ganó el Premio Nadal con *Beatriz y los cuerpos celestes* y, tras la publicación de *Nosotras que no somos como las demás* (Destino, 1999), obtuvo el Premio Primavera en 2001 con *De todo lo visible y lo invisible* y el Premio Planeta en 2004 con *Un milagro en equilibrio*. Ha escrito los ensayos *La Eva futura / La letra futura* (2000); *En brazos de la mujer fetiche* (2002) —junto a Sonia Núñez—, ambos en Destino; *Courtney y yo* (2004), una revisión de *¡Aguanta esto!* (1996), *Ya no sufro por amor* (2005) y el volumen de relatos *Una historia de amor como otra cualquiera* (2003). También ha traducido y editado la recopilación de cuentos de autores españoles y palestinos *La vida por delante* (2005). En 2001 publicó el poemario *Estación de infierno* y en 2006, *Actos de amor y de placer*, que obtuvo el Premio Barcarola. Entre sus guiones para el cine destaca el de la película *Sobreviviré*. Actualmente dirige la colección de narrativa Astarté y colabora como articulista en diversos medios. Su obra ha sido traducida a veinte idiomas. Es doctora Honoris Causa por la Universidad de Aberdeen y recientemente ha obtenido el premio Il Lazio de Literatura, otorgado por el Ministerio de Cultura italiano. En 2007 Destino publicó *Cosmofobia* (Booket, 2008) y *La fantástica niña pequeña y la cigüeña pedigüeña* (Destino Infantil), un cuento que invita a los pequeños lectores a vivir con naturalidad las diferencias. En 2009 Martínez Roca publicó *El club de las malas madres* (Booket, 2010).

# ÍNDICE

INTRODUCCIÓN

# EL AVANCE DE EROS

*Es bien sabido que* (le he robado este principio a Jane Austen) si una mujer escribe sobre sexo es una escritora erótica. Si un hombre hace lo mismo es un escritor, sin más.

Como muestra, un botón: cuando yo gané el Premio Nadal la crítica no hizo sino incidir en el presunto contenido erótico de mi novela (que en realidad era más remilgada que un modelito de la Nancy), pero nunca se dijo lo mismo del finalista, en cuyo texto había una escena de sado maso con lluvia dorada de por medio que incluso a mí —la presunta escritora erótica— me resultó duro leer.

«La literatura, sobre todo la erótica, es uno de los pocos reductos abiertos a la transgresión», aseguraba el director Luis García Berlanga, reconocido y asumido pornógrafo y fetichista. Y es que el hecho de que sea tan difícil definir la línea que separa lo «erótico», lo «pornográfico» y lo «obsceno» alude a una transgresión implícita en la literatura erótica, pues se trata de distinciones inútiles que sólo adquieren significado en un contexto de represión. Lo que era obsceno o pornográfico hace cincuenta años nos parece aburrido hoy. Por ejemplo, la publicación de *El amante de Lady Chatterley* suscitó en su momento un tremendo escándalo: en Inglaterra sólo se permitió su edición en 1960, aunque el autor la había terminado en 1924, y la novela siguió prohibida en varios países, el nuestro entre ellos, sufriendo no sólo la represión policíaca, sino la piratería, ya que —como todo lo prohibido— se trataba de un fruto cotizado. Sin embargo, a día de hoy la novela antaño pornográfica resulta muy bien escrita, pero poco excitante a ojos de un lector o lectora moderno. El tiempo ha corrido tan rápido que después de tan sólo setenta y siete años la historia de la relación entre la lady y su guardabosques se ha vuelto francamente aburrida y la novela, en algunos momentos, nos parece, más que erótica, sencillamente cursi.

La literatura erótica se ha etiquetado tradicionalmente como un género menor. Todo escritor que haya tocado el género despierta sospechas, pero muy en particular si se trata de una mujer. Y es entonces cuando en las entrevistas la autora se ve obligada a defender la existencia de una sutil frontera que divide el erotismo y la pornografía, para dejar claro acto seguido que lo que ella hace es literatura erótica y no pornográfica. Y afirmar inmediatamente después que sugerir es erótico y literario y mostrar, pornográfico y poco artístico.

Pero desde *mi* punto de vista, este matiz es engañoso y es imposible ser objetivo, porque en realidad el valor erótico está más en el receptor que en el emisor, y lo que para unos es escandaloso para otros puede ser un asunto trivial. En realidad, el límite de lo erótico y lo pornográfico, si es que existe, en cine, literatura, música o arte plástico, se traza desde la percepción de aquellos que consumen y producen este género.

Lo explicaba así Catherine Millet, autora de una de las obras eróticas más vendidas en el mundo, *La vida sexual de Catherine Millet:*

> Para mí, literatura erótica y pornográfica son lo mismo: es un poco hipócrita establecer una diferencia. Sus-

cribo la idea de que la pornografía es el erotismo de los otros. No quise escribir una novela erótica, quise contar la historia de mi vida concentrándome en el hecho sexual. Y es curioso porque muchos lo han encontrado excitante y a otros les ha decepcionado porque no les ha parecido erótico: cada uno tiene su propia libido y su propia lectura del libro.

Para que entendamos lo imposible que resulta establecer una divisoria entre erotismo y pornografía conviene recordar que, como su propio nombre indica (en latín), lo obsceno es lo que está fuera de la escena, aquello que no se puede/no se debe enseñar. Por ejemplo, cuando yo viajé a Senegal hace veinte años el país estaba mucho menos turistizado que a día de hoy y a la región de La Cassamance casi no llegaban viajeros europeos. Resultaba de lo más normal ver pechos femeninos, puesto que las mujeres daban de mamar en público, pero produjo un gran escándalo el hecho de que una de las integrantes de nuestro grupo llevara unos minishorts.

Otro ejemplo: a día de hoy nos sorprende mucho cuando descubrimos que la contemplación de unos pies femeninos resultaba turbadoramente erótica en el siglo XIX, y que la mera visión de unos chapines de charol podía causar mareos a más de uno. Pero si leen ustedes *Madame Bovary*, reparen en un párrafo en el cual Justino, el adolescente enamorado de Emma, acaricia embelesado los botines de la heroína, un calzado «lleno de barro, el barro de las citas que se deshacía en polvo entre sus dedos y que veía subir suavemente en un rayo de sol», en una escena que sólo podemos entender si la traducimos a nuestro actual código erótico: es lo más parecido a aquella de la película *Son de mar* en la que Jordi Mollà se queda pasmado al contemplar las bragas de la chica que le gusta colgadas en el tendedero. La alusión al barro de las citas adúlteras de Emma pone la cosa más candente todavía. El pasaje no nos resulta en absoluto pornográfico, y ni siquiera erótico, leído con ojos modernos, pero a Gustave Flaubert el libro le costó un proceso judicial acusado de «inmoralidad».

Tampoco nos escandaliza ahora la escena del libro *La Regenta* en la que Ana Ozores, en cumplimiento de una promesa hecha a Fermín de Pas, su director espiritual, pasea descalza por las calles de Vetusta, en la procesión de Viernes Santo, para gran escándalo de los vecinos de la ciudad. La visión de sus pies desnudos resulta tan carnal y sugerente que convierte a su amiga Obdulia en protagonista de la que probablemente sea la primera escena lésbica explícita de la literatura española.

> Y era natural; todo Vetusta, seguía pensando Obdulia, tiene ahora entre ceja y ceja esos pies descalzos, ¿por qué? porque hay un cachet distinguidísimo en el modo de la exhibición, porque... esto es cuestión de escenario. «¿Cuándo llegará?» preguntaba la viuda, lamiéndose los labios, invadida de una envidia admiradora, y sintiendo extraños dejos de una especie de lujuria bestial, disparatada, inexplicable por lo absurda. Sentía Obdulia en aquel momento así... un deseo vago... de... de... ser hombre.

Las asociaciones libidinosas de los pies desnudos de la Regenta resultan aún más transgresoras al estar situadas en un contexto religioso. También a Leopoldo Alas se le acusó de inmoral y obsceno, razón por la que el libro estuvo casi desaparecido durante el período franquista. Y sin embargo, en esta ocasión, el lector o lectora moderno tampoco repara en las connotaciones sexuales de la escena.

Estos ejemplos nos prueban que en el campo de lo que se considere o no obsceno o inmoral todo es según el color del cristal con que se mira. A día de hoy, por ejemplo, el cuerpo femenino desnudo no resulta obsceno. Aparece a menudo en la publicidad, y sirve para anunciar champús, cremas, coches, ropa interior o clínicas de cirugía estética. Sin embargo, se trata siempre de cuerpos muy particulares, esbeltos, normativos. Los anuncios citados muestran siempre a figuras que apenas tienen pecho o caderas. Pero si la modelo tuviera diez kilos más, los pechos caídos y un trasero como un pandero, de esos que tanto les gustan a los obreros de mi barrio (una nueva clase vecinal que he de agradecerle a las obras del señor Gallardón), la misma imagen nos resultaría obscena, y puede que incluso desagradable. Y es que el sexo no sólo está en los genitales, está sobre todo en la cabeza, y nuestra cabeza, por desgracia, piensa a veces como la enseñan a pensar.

Por lo tanto, definir la cada vez más esquiva línea fronteriza entre erotismo y pornografía supone establecer una diferencia entre lo superior contra lo inferior. En esta dicotomía tiene mucho que ver el hecho de que el sexo se considere todavía una cuestión vergonzante.

O, por explicarlo mejor, y en palabras de la novelista Alicia Steimberg:

El acto de escribir literatura «erótica», es decir, una literatura que apela a la sensualidad, la provoca, la excita, es un acto masturbatorio para el que la escribe y para el que la lee, y probablemente es por eso, y no por lo que describe, que le da un poco de vergüenza al autor y al lector.

Y en esta vergüenza radica, creo yo, el hecho de que se trate de «exculpar» a cierta literatura excitante por medio de la confrontación erótico/pornográfico. Es decir, lo erótico sería lo bueno, lo que no avergüenza, por contraste con lo pornográfico, lo vergonzante.

Desde esta oposición de lo bueno, aceptable y respetable frente a lo malo e inaceptable se traza una estrecha línea que diferencia erotismo de pornografía y se establece, a su vez, una jerarquía de estilos: lo que es literario (el erotismo) frente a lo que no lo es (la pornografía).

Veamos cómo el crítico Alberto Acereda redunda en esta dicotomía en su estudio «La actual novela erótica española: El caso de Consuelo García» (extraído del artículo de Ivonne Cuadra «Tu nombre escrito en el agua»):

> La pornografía tiene un carácter obsceno, impúdico, torpe y ofensivo al pudor [...] el arte nunca es pornográfico. En cambio el erotismo opera en la novela en un plano más alto.

Esta diferenciación del crítico es la diferenciación que suele admitir determinada parte de la crítica y el público, y está basada en la idea de que el arte (eso que nunca es pornográfico) se basa en un concepto estético inmutable, un concepto que se crea a partir de una tradición, una historia y un canon preestablecidos. Sin embargo, me parece que la diferenciación no resulta válida ni eficiente porque la tradición es dinámica y el canon está en permanente transformación. De la misma forma que hace un siglo se consideraba erótica una mujer entrada en carnes y hoy nos resulta (o habría que decir que desde la visión dominante se intenta que nos resulte) casi disuasoria, lo que hace un siglo resultaba pornográfico hoy nos parece naif o nos deja indiferentes.

Así que, cuando escribimos de sexo, **¿dónde debemos situar el límite entre erotismo y pornografía?** ¿Entre el arte y la basura? ¿Entre la sugerencia y la descripción gráfica? ¿Entre la admiración y la ginecología? Quizá el límite no se halle, y lo defina cada cual por cuestiones de gusto o de reacción personal, de modo que finalmente los argumentos sean reductibles a una diferencia de grado. En este sentido, el «porno» es el «erotismo» de otros: un amplio subgénero narrativo cuyos materiales se articulan en torno de la experiencia sexual.

Se nos dice que, en el erotismo, al limitarse a sugerir, el artista respeta la sensibilidad y se limita a estimular la imaginación del lector(a) o espectador(a). Pero el que muestra, y aun el que muestra hasta la minucia, también estimula la imaginación del consumidor, simplemente la pone a funcionar a un nivel distinto: cree que sólo puede alcanzar el nivel al que aspira siendo exhaustivamente concreto. En cuanto a respetar sensibilidades, creo que ya nos ha quedado claro que sensibilidades hay para todos los gustos y colores.

Hablando de gustos, se nos dice que la pornografía es de mal gusto, y el erotismo no. Pero el buen y el mal gusto no tienen nada que ver con el arte. Si no, Damien Hirst no podría exponer sus «obras de arte» (un enorme tanque de cristal con un tiburón muerto, un animal disecado, una caca enlatada o un rostro de sangre coagulada). Además, lo que se entiende por buen o mal gusto es una cuestión muy subjetiva. Mujeres que se consideran unánimemente «mujeres de gusto» como las de nuestra casa real, le parecen mal vestidas a mucha gente, algunos grandes modistos incluidos. La cuestión del buen o mal gusto tiene que ver más con la decoración que con la literatura, con el cine, o con el arte plástico.

En realidad la distinción erotismo/pornografía no responde sino a la expresión estético-conceptual de la necesidad profunda que tiene nuestra sociedad —o que nuestra sociedad cree que sigue teniendo— de marginar y esconder la sexualidad.

Aclaramos más el tema con una cita de James Mandrel extraída de su artículo «Mercedes Abad and La Sonrisa Vertical: Erotica and Pornography in Post-Franco Spain», publicado en la revista *Letras Peninsulares:*

> Definir lo pornográfico es casi imposible, tan difusa es la línea fronteriza que lo separa de lo erótico, e incluso la etimología de *eros* nos lleva a otra frontera, pues originalmente la palabra quería decir «amor». Mientras que la mayoría de la gente encuentra repugnante la pornografía, en general parece

haber un acuerdo en convenir que el erotismo es tolerable, e incluso excitante. Pero además, y redundando en lo dicho, lo que para algunos hombres es erotismo sería pornografía para otros, aunque sospecho que en el actual momento político y social lo más acertado sería decir que lo que para un hombre resulta erótico puede parecerle pornográfico a una mujer.

Interesantísima resulta la reflexión final de este señor, y la repito: **lo que para un hombre resulta erótico a una mujer puede parecerle pornográfico.**

¿Por qué damos por hecho en nuestra cultura que el varón tiene una sensibilidad y una tolerancia ante las cuestiones sexuales diferentes a las de la mujer?

Por ejemplo, en España la tradición erótica proviene de una escuela que promovió y mantuvo la diferenciación entre hombre-mujer, sujeto-objeto, alta cultura-subcultura. El objeto del erotismo, tradicionalmente, ha sido el placer masculino a través de la objetivización de la mujer y esto se puede observar a través de toda la literatura española. En ese sentido, si un hombre escribía sobre sexo, hacía literatura, pero una mujer no podía hacer lo propio, pues sería pornografía. Es por eso por lo que la censura franquista permitió novelas con escenas sexuales explícitas, como por ejemplo *La colmena,* de Cela, y censuró la publicación de *La isla y los demonios,* de Carmen Laforet, o *Luciérnagas,* de Ana María Matute, novelas que no son ni eróticas ni pornográficas, a nuestros ojos. *La isla y los demonios* fue objeto de censura por causa de una escena de lo más inocente. La protagonista va a dar una vuelta en barca con un chico que le gusta. Se entiende, aunque en la novela se alude a ello muy veladamente, que en ese paseo ambos han mantenido un contacto sexual, y cuando ella regresa a tierra queda decepcionada del encuentro y decide no ver más a su amigo. Si esa escena hubiera sido escrita por un hombre, probablemente no hubiera sido objeto de censura. A los censores no les escandalizó lo excitante del texto, sino el hecho de que la protagonista fuera dueña de su cuerpo y sus emociones en una época en la que se entendía que las mujeres debían casarse vírgenes para pasar a depender tanto económica como emocionalmente de su marido. Es decir, ¿en qué radicó lo pornográfico? En los ojos del censor, no en la intención de la escritora.

La idea de que la mujer y el hombre conciben la experiencia sexual de maneras diferentes es la base desde la que se entrelaza el dilema de «¿dónde situar el límite entre la representación erótica y la pornográfica?» con cuestionamientos de género para gran parte de las activistas y críticas feministas. Para ellas la asociación entre pornografía y erótica se puede también entender en términos de géneros sexuales, pues sostienen que enfrentar los conceptos «erotismo» y «pornografía» es enfrentar lo que se ha entendido como placer masculino y lo que se quiere construir como deseo femenino.

Es decir, especialmente en Estados Unidos y en los años sesenta fueron las propias mujeres las que ahondaron en esta diferenciación entre pornografía y erotismo. Y crearon una nueva diferencia. En lugar de las afirmaciones tradicionales de que «el erotismo es arte y la pornografía no» o «el erotismo es aceptable y la pornografía vergonzante», las feministas esgrimieron un nuevo argumento: «La pornografía es vejatoria para la mujer, y el erotismo no». Es decir, de nuevo la diferenciación entre erotismo como algo aceptable y pornografía como inaceptable.

Peter Michelson, en su artículo «Women and Pornoerotica», un estudio sobre la producción de cine pornográfico estadounidense, lo explica así:

Cuando resultó evidente que las mujeres estaban escribiendo literatura sexualmente explícita no parecía pertinente referirse a sus obras como «pornografía» porque confundía el discurso que intentaba diferenciar las aproximaciones al tema desde la perspectiva del género. «Erotismo» parecía una definición más conveniente porque tradicionalmente se supone que el erotismo asocia amor y sexo, y se suponía que esta identificación entre ambos términos era propia de las mujeres y no de los hombres. Y de ahí se infería que el término «literatura erótica» referido a la literatura sexualmente explícita escrita por mujeres no degradaba a éstas, puesto que representaba, en otras palabras, la esencia de la concepción de la naturaleza femenina.

Es decir, en el contexto de la libertad sexual de los años sesenta las activistas del movimiento antipornografía se vieron obligadas a distinguir entre erótica y pornografía. Para demostrar que no eran ni unas aguafiestas ni unas sexófobas decidieron que estaban a favor de la libertad sexual, pero desde sus propios términos. Así que para ellas la pornografía sería aquella representación sexual que es vejatoria para la mujer y el erotismo, aquella representación sexual que no agrede a la mujer.

La activista Gloria Steinem, una de las feministas históricas en la lucha por la consecución de la igualdad de las mujeres, definía desde esta idea el erotismo como «una expresión sexual mutuamente placentera entre personas que revisten el poder suficiente para estar allí gracias a su libre elección», mientras que la pornografía, según ella, «lleva el mensaje de la violencia, del dominio y de la conquista. Es la utilización del sexo con el fin de reforzar o crear una situación de desigualdad...».

Pero otras activistas feministas aseguraron desde el principio que no existía ninguna diferencia sustancial entre erotismo y pornografía. Andrea Dworkin, por ejemplo, lo expresaba así:

> Mi libro *Pornografía: Hombres que poseen a mujeres* no trata de la diferencia entre la pornografía y el erotismo. Las feministas han hecho un honorable esfuerzo por definir la diferencia entre ambos, alegando generalmente que el erotismo conlleva mutualidad y reciprocidad, mientras que la pornografía implica dominio y violencia. Pero en el léxico sexual masculino, que es el vocabulario del poder, el erotismo es simplemente una pornografía de lujo, sólo que mejor presentada y diseñada para una cla-

se de consumidores más sofisticados. Ocurre lo mismo que entre la prostituta de lujo y la puta callejera: la primera va mejor arreglada, pero ambas dan el mismo servicio. Sobre todo los intelectuales llaman «erotismo» a lo que ellos producen o codician, para indicar que detrás de este producto hay una persona tremendamente inteligente. En un sistema machista el erotismo no es más que una subcategoría de la pornografía.

Es decir, para Andrea Dworkin erotismo y pornografía son lo mismo, pero ella, como mujer, no quiere aceptar aquellas obras de arte en las que el placer del lector o del espectador se deriva del hecho de que se asocia la excitación sexual con la sumisión de la mujer.

Lo cierto es que a día de hoy la práctica totalidad del material pornográfico que los hombres consumen está relacionada con la connotación erótica de la subordinación de las mujeres, y los lectores o espectadores se excitan merced a la cosificación, la fetichización y la humillación de las hembras con las que el macho copula. La mayor estrella del porno español, y una de las mayores luminarias del porno internacional, Nacho Vidal, se ha hecho famoso precisamente por su «marca de fábrica»: en todas las películas él domina a sus partenaires, cuando no las maltrata y veja directamente.

Pero cuando las mujeres son las que escriben los textos eróticos o pornográficos el rol cambia. En la literatura erótica o pornográfica (como quieran ustedes, lectores y lectoras, llamarlo) escrita por mujeres se le presupone a la protagonista una sexualidad femenina activa y se preconiza el goce sexual soberano de la mujer. A veces presenta a las mujeres como objetos, pero lo hace a través de los ojos y para los ojos de otras mujeres como sujetos (es el caso del relato de Silvia Uslé en este libro). En los relatos pornoeróticos escritos por mujeres las hembras aparecen como seres fuertes, sexualmente exigentes y realizadas, versátiles y capaces de alternar roles de activas y pasivas a su gusto y conveniencia. Y siempre asertivas.

**En ese contexto, el último campo de transgresión que queda en la literatura erótica** (en la que ya hemos leído de todo) **se abona en la literatura erótica femenina,** dado que una estigmatización y un silencio de siglos se ciernen aún sobre la sexualidad de las mujeres. Si algo nuevo se puede escribir sobre sexo, lo podemos escribir nosotras. Porque podemos hablar de lo que no se ha dicho, de lo que no se ha contado. De aquello que los hombres no saben.

Como explicaba Shere Hite, desde el momento en el que el arquetipo familiar de nuestra sociedad está marcado por el modelo José, María y Jesús podemos entender por qué se ha evitado durante tantos siglos escribir sobre mujeres sexualmente activas. El análisis de este icono lleva a comprender cómo la mujer ha perdido su lugar y su importancia dentro de la sociedad. En la Sagrada Familia no hay una hija, la niña no tiene un lugar dentro del mundo. Sólo existe el hijo. La mujer pasa a desempeñar exclusivamente el papel de María, la esposa y madre virgen. Su función es ocuparse de «sus» hombres. Y así reniega del sexo. Por eso durante siglos las «buenas mujeres» eran aquellas que se ocupaban del cuidado de otros, las que concebían el amor como servicio. La pasión femenina tenía mala reputación y el goce no digamos, hasta el punto de que los médicos de la Inglaterra victoriana estaban convencidos de que sólo las prostitutas podían experimentar placer. Si una esposa respetable disfrutaba del sexo, enseguida se la catalogaba como enferma: sufría de ninfomanía. Y por ello en 1882 el neurólogo Jean-Martin Charcot hablaba de las histéricas, de las desviaciones sexuales, del onanismo y de otros «trastornos» sexuales, pues para el médico tan trastornada estaba la mujer que ansiaba hacer el amor (ergo, una histérica) como cualquier otro desviado sexual. Si tenemos en cuenta que el hombre que se masturbaba era uno de esos «desviados sexuales», ya nos hacemos a la idea del clima imperante en la época.

De ahí la dicotomía madonna/puta inscrita en general en el imaginario erótico moderno. Frente a la madre, esposa o hermana que no sólo debe ser honesta, sino también parecerlo, las mujeres solas y sexualizadas despiertan un recelo instintivo. Nuestra vicepresidenta, por ejemplo, es soltera y en posición de poder. Sospecho que si es tan respetada es precisamente porque su imagen es «masculina», esto es, desexualizada. No por casualidad en las películas sexuales comerciales destinadas al público masculino (el porno, para entendernos) a la mujer se la muestra casi siempre como a un objeto, como una víctima, y si bien la cámara se recrea morosamente en la eyaculación masculina, casi nunca le dedica la misma atención al placer femenino.

Todos estos prejuicios y tabúes dificultan la labor de renovación y revaloración que las mujeres precisamos para sentirnos bien en nuestro cuerpo de mujeres sexuadas, para vernos como sujetos —y no objetos— sexuales. En ese sentido hablar sobre sexo, escribir sobre sexo, antes que un pecado, una grosería o una provocación, es una manera de romper el silencio, de emprender la conquista de nuevos territorios —físicos, mentales y sociales— más justos y placenteros: aprender no sólo a disfrutar, sino a reivindicar nuestro derecho a hacerlo. Pero para escribir hay que leer. Escribir sobre nuestra propia sexualidad pasa necesariamente por el conocimiento y la reflexión previos en torno a la aportación de la literatura erótica femenina. Cuando conozcamos el camino que las mujeres llevamos recorrido podremos continuarlo hacia delante, para poder llegar a una completa asunción y reivindicación de nuestro cuerpo y de sus posibilidades. Por eso el hecho de escribir literatura o escenas eróticas no se reviste tan sólo de un valor o unas connotaciones literarias, sino también políticas.

La escritora contemporánea rompe con el statu quo y crea universos que corresponden a sus propios valores, sin negar su biología. El resultado es un nuevo canon en la literatura: una imagen de la realidad captada con ojos de mujer y expresada desde un discurso no antropocéntrico. Una nueva imagen de la mujer como *agente provocador* que ahora se plasma en una abundantísima publicación de textos, los que han llegado a constituir un corpus con su propio contexto, su propia voz y su propia visión.

A este respecto decía la autora Erica Jong a propósito de su libro *Miedo a volar* (también, como en el caso de *El amante de Lady Chatterley*, escandaloso en su momento y casi mojigato hoy):

> Las mujeres se encontraron en él y se sintieron menos solas, sintieron que no estaban locas, que alguien más sentía lo mismo que ellas, que no estaban enfermas. Se habló mucho del sexo en esa novela, pero el asunto no era el sexo: era la sensación de «no estoy sola, alguien más tiene estos pensamientos». Los relativos al sexo, pero también los que tenían que ver con la rebeldía, con la ira, con la frustración. Lo que quise hacer fue deslizarme dentro de la cabeza de las mujeres y mostrar todo lo que pasaba dentro: sus fantasías, sus odios, sus sueños.

Esas fantasías y esos sueños han sido los grandes desconocidos del erotismo o la pornografía modernos, que se han escrito siempre desde el punto de vista masculino, más que nada porque hasta bien mediado el siglo XX la mayor parte de la literatura era masculina, y las mujeres no tenían acceso a la cultura. Y las pocas que podían escribir eran monjas (Santa Teresa o Hildergarda de Bingen) o aristócratas (Madame de Sévigné), así que no iban a narrar experiencias sexuales, pues arriesgaban la pérdida de sus privilegios y de su mismo lugar en la sociedad. Existen dos presuntas autobiografías sexuales femeninas escritas antes del siglo XX, las famosas *Fanny Hill* y las *Memorias de Cora Pearl,* pero ambas en realidad las escribió una mano masculina. Seguro que están ustedes pensando en Safo, pero lo cierto es que Safo es más bien un símbolo que otra cosa, pues su poesía nos ha llegado fragmentada e incompleta. De esta manera, como en literatura la narración de la experiencia sexual había sido siempre masculina, la producción de textos pornoeróticos (y utilizo el término mixto porque he decidido dar por imposible la diferenciación) escritos por mujeres abre una nueva vía a la (re)presentación del sujeto narrativo en la pornoerótica española: por fin la mujer deja de ser objeto sexual para ser sujeto sexual.

Por ejemplo, durante muchos años, cuando el objeto erótico era un hombre, se describía siempre desde el punto de vista de otro hombre. La poesía y la literatura eróticas que celebraban el cuerpo masculino eran homosexuales. Pero los códigos homosexuales no son los mismos que los códigos femeninos, porque el hombre se reconoce en el cuerpo de otro hombre, mientras que una mujer desea a un hombre como a su Otro en el sentido más lacaniano del término.

Algunos críticos y críticas estudiosos del tema opinan que los textos eróticos escritos por mujeres todavía mantienen una economía del deseo que va encaminada a la satisfacción del hombre, porque es cierto que algunas novelas eróticas femeninas parecen más bien un intento de complacer a un público masculino que una aventura de indagación sobre el propio deseo. (Se me viene a la cabeza, por ejemplo, la famosísima y exitosísima *Las edades de Lulú*, en la que nunca se describían los orgasmos de la protagonista.) Pero muchos pensamos que el desarrollo del género erótico entre las escritoras constituye un desafío radical a las ideas de sexualidad, del deseo, de cómo éste funciona y cómo se relaciona con la situación general de la mujer en la sociedad.

Esta idea se resume en una frase recogida en el artículo de Agustín Cadena «La literatura erótica escrita por mujeres en México», en la que cita a Cornelia

Arnhold, «una de las cuatro escritoras alemanas que crearon, a principios de los noventa, el primer cabaret literario del mundo: *Nacht der Literat Huren*, Noche de las putas literarias»:

> En literatura pornográfica las mujeres han producido hasta ahora sólo un *kitsch* insensato. Pero el porno del futuro es femenino.

El crítico Gregorio Morales coincide en la misma idea, desde su propia perspectiva de varón:

> El avance de Eros, desde la más remota antigüedad hasta nuestros días, se puede adscribir al proceso de igualdad entre el hombre y la mujer. Así, al comienzo, la mujer es vista como un objeto de perdición y asociada claramente al mal, como ocurre en la historia que nos relata el Papiro Doulaq, donde Setna llega a matar a su propia familia en la consecución de los favores de la sacerdotisa Tbubui. Posteriormente, cuando el mundo griego inventa el amor, las mujeres están excluidas de él; el amor se establece exclusivamente entre el erasta o maestro, siempre un hombre maduro, y el erómeno, o discípulo, un adolescente; por ejemplo, Platón nos cuenta en *El banquete* cómo Alcibíades quiso tomar

a Sócrates por amante. El amor provenzal, ya en la Edad Media, produjo una revolución, al traspasar la función de erómeno o discípulo a la mujer, por lo que ésta se convirtió, por primera vez en la historia, en sujeto digno del amor. El erotismo llega así a un importante grado de desarrollo. Pero coincido con Francesco Alberoni en que «el verdadero erotismo sólo es posible cuando cada uno trata de comprender al otro, logra ponerse en su lugar y hacer propias sus fantasías». Y esto sólo se puede conseguir con la más rigurosa igualdad entre hombre y mujer, de modo que ambos se hablen de tú a tú, o si queremos emplear la expresión griega, de erasta a erasta. Éste es el paso que se está dando en la actualidad y la razón por la que hay una gran abundancia de literatura erótica femenina.

Lo cierto es que no hace falta especializarse en literatura erótica para escribir sobre sexo. En la producción narrativa femenina el registro de la experiencia erótica ha venido cobrando más y más importancia, hasta el punto de que podríamos decir que *todas* las escritoras vivas, en mayor o menor medida, han dedicado por lo menos un párrafo a narrar explícitamente una escena sexual. Y es en esas escenas, cuando el cuerpo femenino se textualiza, cuando la mujer se autodefine como sujeto y no como objeto y cuenta su historia, al margen de la que le habían inventado los varones. El resultado ha sido una literatura desinhibida y polifónica en la que las fantasías se codifican con un notable predominio de metáforas y en la que las convenciones del decoro en el discurso femenino tradicional se desafían abiertamente. La literatura pornoerótica femenina se configura desde una abundantísima producción caracterizada por una escritura dinámica, elíptica y sincopada, que intenta subvertir la represión y la censura desde la imaginación y la fantasía, y cuestiona el juego de poder y la violencia implícita en la pornografía tradicional y en la construcción del deseo masculino. Conviene advertir que el cuerpo femenino narrado en primera persona se incorpora a la literatura no solamente desde la dimensión erótica, puesto que también se textualiza desde la experiencia del cuerpo la violencia sexual ejercida contra la mujer: el cuerpo como *víctima* en las escenas en las que la mujer es agredida, frente al cuerpo como *agente* que se define en las escenas en las que la mujer consiente y no se somete. Pero, al contrario de lo que sucede en la literatura femenina, la víctima habla con su propia voz, no por la de otros, y puede expresar su odio, su frustración y su rabia.

Y al comparar las escenas sexuales que las mujeres escriben con las que durante siglos hemos leído, escritas por hombres, nos encontramos con que hay notorias diferencias tanto de objetivos como de procedimientos.

Lo explica así el psicoanalista Eugenio Núñez Iang:

> La literatura escrita por mujeres se encuentra inscrita en la necesidad de Sherezade: manifestarse para continuar viviendo, sacar a la luz lo oculto, atrapar con sus historias al seducido lector. Al escribir, la mujer intenta descubrirse a sí misma, para mostrarse al otro, para ser reconocida y establecer el pacto comunicativo, el encuentro. Porque la lengua, denotativa y connotativamente, puede convertirse en el lugar de la máxima transferencia: la amorosa y la literaria. Freud plantea los mecanismos de la creación como resultante de una impotencia en el artista para encontrar satisfacción en la realidad, impotencia que motiva el repliegue sobre la vida imaginativa, en un proceso que denominó sublimación. Catherine Millet presupone que «la escritura procede de una imposibilidad, la de un goce en nombre del cual todo otro goce será recusado como muy desigual». A la

mujer se le impuso el silencio, por tanto empezó a bordar susurros y cuchicheos, pero encontró en el revés de su tejido otras formas para decir lo que tenía que callar. De allí, la prominencia de diarios, relatos autobiográficos, cartas, una literatura del íntimo yo, frecuentemente metamorfoseado, bordado en imágenes donde figura y fondo ocultan lo que muestran. En especial, todo aquello que Sherezade entretejía en sus historias: el goce del cuerpo, los múltiples y variados goces de la sexualidad metaforizada.

**Cuando las mujeres escribimos sobre sexo, ¿lo hacemos de forma diferente a los hombres?** Sí, yo creo que sí. Bastaría comparar los textos eróticos en obras de Maupassant y de Colette, de Henry Miller y Anaïs Nin, de Bukowski y de Pauline Réage, para apreciarlo.

Y es que el sexo no es simplemente sexo. En muchos casos es un túnel que nos permite deslizarnos a lo fundamental humano, a aquello que nos es vital para conocernos y reconocernos, para otorgarle un cuerpo a nuestros fantasmas, a nuestros deseos, pero también a nuestras realidades: el sexo suele estar asociado a nuestras historias de amor, «ese cataclismo irremediable del que no se habla más que después», según Julia

Kristeva, y, para casi la mayoría de los mortales, el amor suele constituir el hito más importante de su biografía. Por eso a cada texto nuevo volvemos a sorprendernos, y lo que pareciera estar suficientemente dicho, resulta que aún no lo está: «Nos ocultamos», escribía Michel Foucault, «por inercia y sumisión, la evidencia de que lo esencial se nos escapa siempre y hay que volver a partir en su busca».

Michel Foucault, en su *Historia de la sexualidad*, escribe sobre una tríada que en la sociedad moderna articula poder, saber y sexualidad. El poder es el que determina, modela y rige el saber. El saber es a su vez una forma de poder; de modo que se somete a los intereses y a las conveniencias del sistema. De un sistema que mantiene un doble discurso sobre la sexualidad dependiendo del género; por un lado la exalta en la figura de los hombres, por otro lado la reprime, prohíbe y oculta en las mujeres. Así la sexualidad se vuelve una de las principales tecnologías del poder. Sobre todo del poder patriarcal que se manifiesta muy en particular en el cuerpo de las mujeres. Las mujeres son las representantes de la sexualidad por antonomasia, debido a su función reproductora y los efectos visibles de la misma. Es decir, si una joven pierde su virginidad se puede quedar embarazada, pero un hombre no.

Por eso es sobre ella sobre la que se ejerce la coacción y el sometimiento. Y de ahí que a día de hoy en la mayoría de los países árabes la deshonra de un embarazo no deseado caiga sobre la mujer, no sobre el hombre. Es ella la que debe mantenerse pura, no él.

Si asumimos que la visión del sexo está asociada a determinados rasgos muy particulares de cada persona, a sus fantasías y a sus sueños, y que estas fantasías y sueños de cada cual tienen que ver con su infancia, con su biografía, con su lugar de origen y con su socialización, entenderemos por qué las películas porno francesas no se parecen a las norteamericanas (por ejemplo, las starlettes porno francesas no suelen exhibir el pecho enorme de las yanquis) o por qué la imaginería erótica manga se diferencia tanto de la occidental. Porque la sociedad en la que uno vive influye de forma definitiva en la construcción del deseo, de las fantasías e imágenes sexuales. Y como a hombres y mujeres, por desgracia, se nos educa y socializa de manera diferente, nuestra forma de vivir el sexo, y por lo tanto de escribirlo, será, necesariamente, diferente.

La psicoanalista francesa Marie-France Hirigoyen ya nos confirma, desde la experiencia de su consulta, que hombres y mujeres no viven de la misma manera la experiencia sexual. Según afirma en su libro *Les Nouvelles Solitudes:* «Cuando hablamos de soledad, los hombres piensan en la falta de vida sexual, mientras que a las mujeres les parece más importante la falta de relaciones afectivas». Lo confirma el sociólogo francés Gerard Mermet, quien asegura que el 50 por ciento de los hombres consideran como difícilmente soportable la idea de no hacer el amor durante varios meses seguidos, contra el 34 por ciento de las mujeres. Esta disparidad de cifras aclara que las mujeres están más dispuestas que los hombres a renunciar a su vida sexual, o a sublimarla a favor de otras actividades (una vida religiosa o entregada a los otros) que los hombres, dado que durante siglos se ha considerado socialmente integrada a la mujer célibe, pero no así al hombre célibe, a no ser que perteneciera a la Iglesia. Quizá por ello cuando las mujeres escriben sobre sexo en general lo hacen desde una visión mucho menos cruda y gráfica, y siempre más reflexiva, imaginativa o lúdica.

Ana Istarú, escritora costarricense, reflexionaba sobre el tema en una reciente entrevista:

> Pienso que concretamente en la literatura escrita por mujeres la diferencia está en la óptica, en la

perspectiva, en la forma de ver y presentar las relaciones humanas, las relaciones entre los géneros. Yo, por ejemplo, que he escrito literatura erótica, digo que la escribí porque quería leer algo que me placiera, porque lo que había leído escrito por varones me resultaba chocante y agresivo y entonces fue como proponer un tipo de erotismo partiendo de un punto de sensibilidad distinta. La literatura que escribimos las mujeres creo que además de presentar una imagen distinta de lo que es la feminidad y masculinidad alejada de los estereotipos, y además de intentar derribar mitos, tabúes y de intentar darle una presencia a la mujer y a sus conflictos específicos, es una literatura que es más subversiva, irreverente y transgresora que la masculina, porque muchas veces el varón en un orden social patriarcal se siente más cómodo, y no tiene tal necesidad de rebelarse, en tanto que la literatura que escriben las mujeres es más corrosiva, más crítica, más irónica, más incisiva, es más iconoclasta. Lo veo también mucho en la poesía, además de la dramaturgia.

En mi personalísima opinión, hay **rasgos muy evidentes de diferenciación** entre la prosa erótica (o pornográfica, según cada cual quiera verlo) femenina y masculina.

Por ejemplo:

**Los hombres son directos, las mujeres, sinuosas.** En general los hombres cuentan las cosas sin tapujos. Hablan de la polla o del agujero del culo y describen las escenas gráficamente, casi como lo haría una cámara que rodara la escena. Las mujeres hablan del miembro o del ariete, y utilizan complicadas metáforas o elipsis para dar a entender lo que sucede. Años de represión nos han vuelto reacias a utilizar palabras que puedan resultar malsonantes, pero también nos han enseñado a inventar un lenguaje nuevo, poético y extravagante constelado de imágenes sensuales y sexuales que, en conjunto, proponen una nueva expresión de la experiencia sexual femenina. En la literatura femenina siempre ha habido una necesidad de recurrir al subterfugio, sea en la persona o sea en el discurso. Sea masculinizándose bajo un seudónimo, como hacían tantas escritoras en el siglo XIX (Fernán Caballero, George Sand), sea escribiendo con metáforas y símiles, para ocultar bajo la piel de una oveja la verdadera identidad de un lobo, como se hace a día de hoy. Según la crítica y escritora Laura Freixas, «en los textos eróticos femeninos predominan la fantasía, los símbolos, las sensaciones; en los masculinos, los actos». Llama la atención la importancia decisiva de la fantasía como puesta en escena del deseo en los textos femeninos (el que se considera el libro más importante de la erótica femenina, la *Historia de O,* sucede precisamente en un castillo onírico, por ejemplo), fantasía en la que lo prohibido también está presente en la formación de dicho deseo.

No por casualidad tres de los relatos de este libro son de género fantástico (los tres últimos). Parece que se cumple lo que dice Coché Echarren en su relato: los sueños no cuentan. Es decir, da la impresión de que si nos situamos en un escenario soñado nada de lo que contemos nos hará sentir culpables o avergonzadas. El hecho de centrar la acción erótica en un contexto imaginario, fantástico, onírico, nos permite salirnos de lo rutinario de la vida para hablar de un lugar y un tiempo en el que todo está permitido y en el que el sexo es, cómo no..., ¡fantástico!

En este sentido la escritura erótica femenina es muchas veces **una escritura velada.** El velo de la escritura es, como el hiyab islámico, un símbolo polisémico, ya que recibe una serie de significados, muchos de ellos contradictorios. El hiyab, en la medida que aparta a las mujeres de los hombres, conserva su belleza, las protege, no es tanto una obligación como una necesidad de seguridad para ellas en la convicción real que tienen los individuos hacia él como símbolo, y lo mismo sucede con ciertos recursos estilísticos de la literatura femenina, que se convierten en una estrategia para enfrentar la cosificación.

En los relatos recogidos en este libro se aprecia muy bien esta estrategia. La gran mayoría (los míos incluidos) no presentan escenas explícitas, sino que dejan a la imaginación del lector la reconstrucción de éstas a partir de imágenes, símiles, metáforas y símbolos que la escritora deja como pistas, como las piedrecitas blancas que en el cuento de Pulgarcito conducían a la casa paterna. El resultado es más sugerente que una escena directa, pues al tener que imaginar el lector lo sucedido puede situar la temperatura de la escena a los grados que a él o ella le apetezca.

**Las mujeres son prolijas, los hombres son concretos.** Porque, como bien explica el psicoanalista y escritor Éric Laurent:

> Del lado hombre, se goza en silencio. El fantasma opera en silencio [...] Del lado mujer, es necesa-

rio sin embargo que el ser amado hable: «háblame», y la mujer no puede consentir a la sexualidad sino después de una larga preparación que consiste esencialmente en ser envuelta con palabras, para después consentir.

Está tan admitido por la sabiduría popular que, desde Sherezade, la mujer asocia el sexo a la palabra que se dice que al marido despechado lo que le preocupa no son las prácticas sexuales de su mujer con su amante, sino el hecho de «que hablen después de». Las palabras son, pues, el termómetro que diferencia las prácticas sexuales ligadas al amor de las prácticas de sexo rápido que sólo se relacionan con lo carnal. Pero como las mujeres tendemos, por educación y socialización, a vincular sexo y amor, asociamos el sexo a la palabra, y por ende, cuando escribimos de sexo somos mucho más prolijas.

Pero en realidad el sexo no es amor. El tiempo del sexo es concreto, no lineal, sin un antes y un después. Roland Barthes, en *Fragmentos de un discurso amoroso,* afirma que existe un tiempo amoroso, un tiempo que él define como el de «la novela de amor». La novela narra un episodio dotado de un comienzo, el flechazo, y de un fin, que sitúa en el suicidio, el viaje, el desapego, la retirada, el abandono, el convento. El amor crea una historia, y el sexo sólo puede crear una escena. No hay en el sexo rápido sino un colapso de los tiempos, una contracción que anula la posibilidad de verificar ninguna posición subjetiva e histórica. Pero cuando las mujeres escribimos, podemos alargar enormemente las escenas sexuales, como lo demuestran los libros de Pauline Réage y Catherine Millet, que se recrean morosamente en los escenarios, los preámbulos e incluso las reflexiones que la protagonista hace en el mismo momento de practicar el sexo.

**Los hombres son visuales, las mujeres, sensoriales.** Mientras que los hombres describen los pechos desafiantes, los pezones erectos o las nalgas turgentes, ellas se pierden en descripciones sobre la tersura de la piel, la temperatura, el olor de los cuerpos sudorosos o el sabor de los fluidos. De hecho, se sabe que las mujeres no son consumidoras de películas pornográficas, y diversos estudios han probado que en general no se excitan viéndolas. Este hecho puede responder a que las películas X, en general, están producidas y dirigidas por hombres, y destinadas a un público masculino, por lo cual se centran en unos códigos muy particulares (cosificación y humillación de las mujeres, centralizando siempre la importancia en el placer masculino y no en el femenino) que no pueden interesar a las mujeres. Pero también a una tendencia femenina a buscar su placer desde todos los sentidos y no sólo desde la vista. En cualquier caso, basta con comparar descripciones masculinas y femeninas para advertir que las mujeres son eróticamente multisensoriales, como prueban los relatos incluidos en este libro.

**Los hombres son simples, las mujeres, complicadas.** Las escenas de necrofilia las encontramos en Anaïs Nin, no en Miller. Los tríos en Colette, no en Maupassant. Los escenarios oníricos y elaborados están en Pauline Réage, no en Bukowski. Quizá debido a que durante siglos a las mujeres sólo se nos ha permitido fantasear y no actuar, nuestras fantasías son mucho más elaboradas. También hay una tendencia a intentar analizar los resortes últimos del sexo que no encuentro en los hombres. Catherine Millet sería la mejor representante de esta visión del sexo. Su libro, más que pornográfico o erótico, es profundamente filosófico, y en él trata del sexo como medio de expresión, de afirmación, de revolución, e incluso de asunción del lugar en el mundo.

En palabras del psicoanalista Eugenio Núñez Iang:

Catherine Millet nos descubre su cuerpo y su mundo. Así los espacios son importantes. El lecho no será ese lugar impenetrable e íntimo, sino se abrirá al mundo en toda su extensión: la parte trasera de un auto o asomar el culo por la ventanilla del auto para permitir la entrada a quien lo desee, los cogederos públicos del Bois de Boulogne, los urinarios, el estadio a cielo abierto, cualquier espacio, grande o pequeño, abierto o cerrado, se reducirá siempre al doble espacio de su cuerpo y su imaginación: «En el pequeño vehículo bamboleante, yo era el ídolo inmóvil que recibe sin pestañear los homenajes de una serie de fieles. Era la que me imaginaba ser en algunos de mis fantasmas».

**Hay muchos más textos de sumisión y sadomasoquismo entre los escritos por mujeres.**

Desde Pauline Réage hasta Emily Maguire, pasando por Almudena Grandes, la sumisión es un clásico femenino. Pero una sumisión transgresora, subversiva, en la que la presunta víctima en realidad controla la situación y es quien, en última instancia, tiene sometido al verdugo que depende de ella para obtener el placer. Una falsa posición sumisa que adopta imágenes estereotipadas, subvirtiéndolas por completo tanto en su intención como en su contexto, a veces con un toque de humor. Las interpretaciones psicoanalíticas o sociológicas de este fenómeno ofrecen posibilidades infinitas.

¿Se trata de una catarsis simbólica? Es decir, que el sexo que ha sido tradicionalmente sometido juega a la inversión de rol como forma de escapar de la dominación masculina.

¿O quizá es que a las mujeres se nos ha enseñado durante tanto tiempo a sentirnos culpables por practicar el sexo que sólo podemos excitarnos si simbólicamente se nos castiga por ello? Es decir, que el rol pasivo de la que es castigada sería el *precio que paga* la mujer que desea, para alcanzar la expresión de ese deseo, en el contexto social de una condenación pública a la mujer abiertamente sexual. De esta manera las autoras buscan recuperar la *agencia* de la mujer: las fantasías masoquistas son acciones evasivas de la mujer que desea, para expresar su sexualidad a costa de la fantasía en que ella *activamente* reclama su castigo para alcanzar *pasivamente* placer sexual.

La psicoanalista Helen Deutch postula en su libro *Psicología femenina* el narcisismo, la pasividad y el masoquismo como los tres rasgos fundamentales de la psique femenina. La verdad es que me parece una afirmación abiertamente machista que sorprende viniendo de una mujer. Pero es cierto que a menudo en la erótica femenina podemos apreciar la doliente manifestación de una psique en permanente sufrimiento (masoquismo) y obsesionada con su propio dolor (narcisismo).

**Las imágenes sexuales de las mujeres son distintas a las de los hombres.**

Es recurrente, por ejemplo, la imagen del agua. Las mujeres se humedecen cuando desean, y cuanto más mojadas estén, más receptivas. Lo define en metáfora Clementina Suárez: «La pasión con que me desgarras en el lecho del mismo torrente inabarcable». De ahí que el agua aparezca tantas veces en los relatos eróticos femeninos, desde el clásico de Anaïs Nin en el que un pescador encuentra a una mujer ahogada y la penetra.

El lector que se ponga a buscar asociaciones entre agua y deseo en la literatura femenina se va a cansar de encontrarlas, pero entretanto ofrezco a continuación unas cuantas imágenes poéticas femeninas para ilustrar la afirmación:

«Como el agua en los cristales, / caen mis besos en tu faz» (Gabriela Mistral, *Caricias)*.

«Ahora quiero amar algo lejano... / a algún hombre divino / que sea como un ave por lo dulce [...] Siento un vago rumor... toda la tierra / está cantando dulcemente... Lejos / los bosques se han cargado de corolas, / desbordan los arroyos de sus cauces / y las aguas se filtran en la tierra» (Alfonsina Storni, *Ahora quiero amar algo lejano).*

«Yo creí que tus ojos anegaban el mundo [...] Fluían de tu rostro profundo / como dos manantiales graves y venenosos... / fraguas a fuego y sombra ¡tus pupilas! [...] la medianoche húmeda de tu mirar sin astros» (Delmira Agustini, *Fue al pasar).*

«Lo que siento por ti es tan difícil. / No es de rosas abriéndose en el aire, / es de rosas abriéndose en el agua» (Idea Vilariño, *Lo que siento por ti).*

«... yo no soy en tu noche más que un lago, una copa, / más que un profundo lago, / en que puedes beber aun cerrados los ojos» (Idea Vilariño, *La noche).*

«Es tu lengua / acierto de vigilia / dejándose llevar / por el lascivo / inquieto / travieso / viento moreno / de mis muslos / Hebra de agua tibia / descubriendo / mis pechos despiertos» (Dina Posada, *Cinta abismal).*

«Sean mis manos como ríos / entre tus cabellos. [...] mis brazos [...] como puertos para tus tempestades» (Gioconda Belli, *Biblia).*

«En los días buenos, / de lluvia, / los días en que nos quisimos [...] mi cuerpo como tinaja / recogió toda el agua tierna / que derramaste sobre mí / y ahora, / en estos días secos / en que tu ausencia duele / y agrieta la piel, / el agua sale de mis ojos / llena de tu recuerdo / a refrescar la aridez de mi cuerpo» (Gioconda Belli, *Como tinaja)*.

«Y sé que mi sed sólo se sacia con tu agua / y que nadie podrá darme de beber, / ni amor, ni sexo, ni rama florida» (Gioconda Belli, *Esto es amor)*.

«Estabas a mis márgenes, con el agua mía / riéndose a tus carnes, / escasamente, mi nivel no alcanzaba / siquiera al cáliz de tu cuerpo» (Matilde Alba Swann, *Como un cántaro)*.

«... agua amarga, amargo viento / y amarga sangre para siempre amarga» (Sara de Ibáñez, *La muerte)*.

He escogido el último verso, de Sara de Ibáñez, porque también la sangre tiene un significado distinto desde lo femenino y lo masculino. Las mujeres sangramos cada mes, y por eso, a diferencia de los hombres, no asociamos la sangre exclusivamente a la violencia, sino a la sexualidad y la fertilidad. Y este valor que le asignamos a la palabra «sangre» nos sirve para ilustrar cómo se altera el valor simbólico del lenguaje con el trueque de perspectiva. La sangre del flujo menstrual, ausente en la literatura masculina, en el imaginario femenino actual se convierte en metáfora de fertilidad y creación. De ahí que tan a menudo las mujeres sientan al objeto de su deseo en su sangre y digan «te siento en el pulso de mi sangre» o «ya no más sangre anonadada». Esta última imagen es de Alejandra Pizarnik, que utiliza constantemente la metáfora de la sangre en su obra poética, en versos como: «Ese pobre instante adoptado por mi ternura, desnudo de sangre de alas» o «Qué bestia caída de pasmo se arrastra por mi sangre y quiere salvarse».

Pero como la poesía de Pizarnik es conscientemente densa, oscura y cabalística, prefiero elegir otros versos en los que el lector o lectora apreciará más claramente cómo la escritora ha asociado sangre y deseo:

«Por sentirme despierta en la cautiva / morada oscura de su sangre [...] Y no quiero saberme fugitiva» (Stella Sierra, *Libre y cautiva).*

«Afuera ruge el viento. Tu cabeza está / en mis piernas [...] Tú peinas y despeinas mi cabello / mientras el mar arrastra sangre y lodo» (Clementina Suárez, *Lamentos en el espacio).*

«Sangre sería y me fuese en las palmas / de tu labor y en tu boca de mosto» (Gabriela Mistral, *Ausencia).*

«Quisiera regalarte un pedazo de mi falda, / hoy florecida como la primavera [...] para que tú la cubras con la armadura de tu pecho. / O con la mano aérea del que va de viaje / porque su sangre submarina jamás se detiene [...] Y en tus dedos apresado el apremio de la vida / que en libertad dejó tu sangre [...] El tálamo en que mides mi cintura / en suave supervivencia intransitiva / en viaje por la espuma difundido / o por la sangre encendida humanizado [...]» (Clementina Suárez, del poema *El regalo,* que he decidido no incluir entero aquí, pero en el que la asociación se aprecia claramente, pues se trata de un largo poema erótico en que se alude constantemente a la sangre).

**También el propio cuerpo se valora de una forma diferente** desde lo femenino y lo masculino, pues la mujer suele referirse al suyo desde una identidad escindida: «abismo entre lo que fue propio y ahora está irremediablemente separado», o desde «este cuerpo que es mío y no es mi cuerpo», o «fuera y dentro de este cuerpo vive ella y vivo yo». Ésta es una estrategia de disociación que casi no se encuentra en la literatura masculina.

Y esta disociación viene, creo, porque el significante «cuerpo», expresado de distintas formas y maneras en las diferentes autoras, suele tener un doble sentido: el cuerpo que una habita y el cuerpo que se le ofrece al otro.

Esta disociación la expresa muy bien Gabriela Mistral en su poema *Íntima:*

> [...] Mentiría
> al decir que te entrego
> mi amor en estos brazos extendidos,
> en mi boca, en mi cuello,
> y tú, al creer que lo bebiste todo,
> te engañarías como un niño ciego.
>
> Porque mi amor no es sólo esta gavilla
> reacia y fatigada de mi cuerpo.

Alejandra Pizarnik también habla de este cuerpo que se cede y entrega al otro (otro femenino, en su caso) en su poema *Los trabajos y las noches:* «He sido toda ofrenda / un puro errar / de loba en el bosque / en la noche de los cuerpos».

Clementina Suárez habla de esa ofrenda en este verso:
«La sombra de mi errante cuerpo / detenida en la propia esquina de tu casa.»

Y Aleyda Quevedo se define a sí misma desde un cuerpo que sólo puede definir a través de la huella de otro cuerpo:

«¿Quién soy? / Quizá este cuerpo encendido / que aún guarda tus huellas en los pliegues».

Es decir, que el hombre no diferencia tanto entre el cuerpo para él mismo y para su compañera. Más bien parecería que «es sobre la base de una negación del cuerpo que se desarrolla la identidad masculina», o al menos así lo afirma el sociólogo inglés Victor Seidler en su libro *Masculinidad, discurso y vida emocional*. Mientras que la mujer se refiere obsesivamente a su cuerpo, y desde él entiende el sexo, los hombres, en las escenas eróticas, describen, sobre todo, el sexo de su contraria (o contrario si son homosexuales).

Por eso el cuerpo femenino recibe diferentes significados y puede expresar diferentes opciones.

A veces se utiliza para expresar una angustia existencial que critica la opresión del poder sobre lo corpóreo de la que hablaba Foucault; para ilustrar la contradicción del ser mujer, las propias y frustrantes contradicciones personales afectivas:

«Porque tu cuerpo es la raíz, el lazo / esencial de los troncos discordantes / del placer y el dolor, plantas gigantes» (Delmira Agustini, *Ofrendando el libro a Eros)*.

A veces es un canto a la felicidad, y es un cuerpo pleno y celebrante:

«Esta noche al oído me has dicho dos palabras / comunes. Dos palabras cansadas / de ser dichas. Palabras / que de viejas son nuevas. / [...] Tan dulces dos palabras / [...] que aceites olorosos sobre el cuerpo derraman» (Alfonsina Storni, *Dos palabras)*.

«Ser este animalito dulce / que te busca con los ojos abiertos / y piensa que la vida es hermosa, intensa, / inesperadamente nueva» (Gioconda Belli, *Acontecimientos)*.

«¡Su cuerpo excelso derramado en fuego / sobre mi cuerpo desmayado en rosas!» (Delmira Agustini, *Otra estirpe)*.

«Un cuerpo largo, largo, de serpiente, / vibrando eterna, ¡voluptuosamente!» (Delmira Agustini, *Serpentina)*.

«Cuerpos dorados, brazos, anudada tibieza [...] cuerpos tendidos, cuerpos / sometidos, felices, concretos, / infinitos...» (Idea Vilariño, *Tarde)*.

Y a veces el cuerpo femenino se convierte en instrumento de venganza simbólica, una revancha sexual, pero que se expresa en una sexualidad falsa, calladamente agresiva hacia el otro, hacia el tú masculino. Una venganza que se nutre de los miedos y las fantasías que los hombres proyectan sobre el propio cuerpo que se concebirá como instrumento de venganza. Proyecciones como la fidelidad, el pudor o la dependencia. Es decir, se revierte el propio control que se ejerce sobre el cuerpo femenino contra el controlador. En estos versos de María Emilia Cornejo se puede apreciar una reflexión existencial que pasa por una conciencia del cuerpo, sus limitaciones y sus padecimientos, en diálogo crítico con modelos ficticios y perfectos que oprimen a la mujer:

> Soy
> La muchacha mala de la historia,
> La que fornicó con tres hombres
> Y le sacó los cuernos a su marido.
>
> Soy la mujer
> Que lo engañó cotidianamente
> Por un miserable plato de lentejas,
> La que le quitó lentamente su ropaje de bondad
> Hasta convertirlo en una piedra
> Negra y estéril
> Soy la mujer que lo castró
> Con infinitos gestos de ternura
> Y gemidos falsos en la cama.

En la literatura masculina, por lo general el Cuerpo de Mujer ha engendrado un imaginario a través del cual se ha reforzado su posición subalterna: la mujer es en tanto es cuerpo, y si una mujer no es un cuerpo hermoso, no podrá ser amada, y casi ni siquiera podrá ser visible. Si es amada, lo será desde una mirada a veces protectora y a veces temerosa, pero siempre ajena. Porque la mujer no bella, la mujer anciana, la mujer enferma, la mujer cuyo cuerpo no se considera deseable según ciertos cánones, apenas ha tenido lugar en la literatura tradicional. Desde Medea a Nora, pasando por Ana Karenina, Ana Ozores o Emma Bovary, las grandes heroínas de la literatura escrita por los hombres tenían una cosa en común: eran bellas. Tuvimos que empezar a escribir las mujeres para que apareciera un nuevo tipo de heroína que no se define por su belleza, sino simplemente por sus acciones, para que pudiéramos leer la historia de *Jane Eyre* o la de Elizabeth Bennet de *Orgullo y prejuicio*. Heroínas que, a diferencia de la Ozores, la Karenina o la Bovary, no sólo no eran bellas, sino que tampoco conocían un final trágico. Porque un cuerpo bello es un enemigo, o eso nos ha querido enseñar la literatura masculina. En la literatura masculina una mujer demasiado bella acababa atrayendo a la tragedia, ya que no puede escapar del deseo masculino que, al insistir en hacerla suya, la arruinará. Una mujer bella, si creemos a los modelos literarios tradicionales, se convierte en esclava de su cuerpo, como si el continente fuera el contenido. No es de extrañar que en la literatura contemporánea las escritoras indaguemos en la topografía del cuerpo propio para poder construir desde él la plataforma de un nuevo y subversivo edificio literario. Escribir nuestro cuerpo no sólo implica reconfigurar la identidad. Ser verdaderamente una misma implica tomar conciencia del encadenamiento original e irremisible a nuestro cuerpo; es sobre todo aceptar este encadenamiento: nosotras somos nuestro cuerpo, pero podemos controlarlo y tomar completa posesión de él en lugar de tener que cederlo a otro y volvernos dependientes de los deseos de nuestro cuerpo, que, a su vez, dependen de los caprichos de quien *posee* ese cuerpo, en el sentido más tradicional de la palabra, cuando se entendía que un hombre que gozaba con una mujer no podía sino convertirse en su dueño.

Ese cuerpo femenino, polisémico, multifuncional, ese cuerpo habitado y cedido, ese cuerpo que se ofrenda y se reclama, ese cuerpo sobre el que la mayoría de las mujeres duda, ese cuerpo al que se odia y se ama a partes iguales, ese cuerpo fuente de placer y de desdicha, ese cuerpo fragmentado y escindido, ese cuerpo deshecho y reconstruido, ese cuerpo de caja de Pandora, ese cuerpo que se va construyendo día a día, desde el cuerpo biológico con el que nacemos hasta el cuerpo erógeno que se descubre en relación con el otro, ese cuerpo que define la identidad y el deseo, ese cuerpo es territorio inexplorado, país colonizado y liberado, herramienta de venganza, lienzo en blanco, espejo, imán, arma revolucionaria, surco y arado. Ese cuerpo que tradicionalmente ha sido objeto de posesión o botín de guerra se convierte, en la literatura escrita por mujeres, en arma de liberación. Es un cuerpo mensajero que nos habla de la historia de las mujeres, de la construcción de su identidad, de sus fantasías, de sus sueños, de sus deseos y de su futuro.

Entre los relatos que componen este libro algunos se podrán calificar de pornográficos y otros no. En algunos el erotismo es tan sutil que podrán no resultar siquiera excitantes. En cualquier caso, sus autoras sí que los han concebido como eróticos, y como cuentos eróticos nos los han entregado. Lo que es cierto es que todos ellos llevan la marca de género bien clara. El propósito del libro, sin embargo, no lo está tanto. ¿Esperamos excitar al lector o a la lectora? ¿Suscitar una discusión o debate sobre la violencia y la dominación en la construcción del deseo femenino y masculino? ¿Dar a conocer a algunas de las autoras jóvenes más interesantes y menos atendidas de la nueva literatura española? Todo eso y mucho más. Cada lector o lectora puede elegir a qué carta quedarse. Sobre todo, esperamos que el libro le haga pasar un buen rato, y que durante el tiempo que le dure la lectura no lo pueda soltar de las manos, o de la mano, si nos atenemos a aquel viejo dicho que decía que la literatura erótica es aquella que se lee con una sola mano.

# LA MARIPOSA Y EL VIOLINISTA

*de*

Andrea Menéndez Faya

Él no esperaba verla allí. Ella no esperaba verlo allí. A él le sorprendía, como a tantos, que una mujer le atendiera en un sitio como aquél. Sobre todo una mujer que no usaba tacones, ni maquillaje, ni enseñaba gran parte del pecho operado merced a un escote más que generoso. A ella le sorprendió volver a verle. Porque ya le había visto antes, en un escenario, en el del Auditorio Nacional de Madrid, más concretamente, donde fue a escuchar la sinfonía número 2 en mi menor de Rachmaninov. Y sí, a ella le gustaba la música clásica, cosa que parecía chocarle mucho a cierta gente, sobre todo a la que sabía de su vida privada, aunque ella nunca acabó de entender el porqué de ese prejuicio. El chico era uno de los violinistas, y ella no podría explicar muy bien por qué se fijó precisamente en él de entre todos los miembros de la orquesta. Quizá porque era muy guapo, quizá porque le recordaba a una antigua novia, que tenía un cabello muy parecido, una media melena rubia y sedosa. A aquella novia, por cierto, también le regaló la mariposa, en su día. Puede que por eso se quedara sin novia. Aunque puede que tuviera que ver también el hecho de que una morena piernilarga se cruzara en el camino... Pero ésa es otra historia. En cualquier caso, el chico preguntó por la mariposa cuando la vio en el estante y ella le explicó lo que era y cómo funcionaba.

—Ahora mismo, en stock, me quedan una rosa y tres verdes. No sé por qué, pero en temas de ortopedia, el rosa se vende como rosquillas. En el último pedido, de hecho, encargamos cuarenta vibradores color rosa porque los color carne dan yuyu, y los azules, blancos, etcétera, no se venden tan bien. Será por los clichés de la infancia, yo qué sé.

»Como ya había comentado antes, el mecanismo es simple. Es una mariposa, tal cual, que lleva un arnés para adaptarse perfectamente, y la puedes llevar debajo de una braga/tanga/faja sin que se note. Eso sí, el mando se ve porque lleva cablecito, de momento inalámbricos sólo tenemos huevos vaginales... Total, vamos a lo que interesa: la mariposa, con ojos y boquita sonriente y todo, muy mona, lleva unas dieciséis patitas que vibran a la velocidad que le des. Sé que hay otro tipo que incluso, como pasa con algunos vibradores anales y vaginales, va por pulsos. Es decir, tiene cinco o siete velocidades distintas y la diferencia no es sólo de "más rápido" o "más lento" sino que, además, incluyen diferentes ritmos, que simulan un polvo, hablando claro. El pico de la boca de la mariposa coincide con el clítoris y la cola, con la boca de la vagina, y claro está, tanta vibración en el clítoris lleva, irrevocablemente, a un orgasmo que parecen cinco, sobre todo cuando lo usas por primera vez y no sabes a lo que te expones.

»Hablemos del precio. En nuestra tienda: 49,90. No somos los más careros ni mucho menos. En mi barrio mismo, las venden en otro sex-shop por 65. Pero eso sí, si comparamos con lo que cuestan en fábrica son un auténtico robo. Pero bueno, la calidad se paga, y estas tonterías, hasta que empiecen a ser consideradas bienes de primera necesidad (que ya están tardando en hacer un Consejo de Ministros para aprobarlo), serán caras.

El chico se quedó mirándola boquiabierto, con la expresión de un niño frente al escaparate de una pastelería, impresionado, supuso ella, por el cuidado discurso comercial y por sus habilidades de persuasión en ventas.

—Oye, ¿tú tienes novio?

—No —respondió ella—. No tengo novio. —Y dejó pasar unos segundos antes de aclarar—: A mí me van más bien las novias. Pero ahora tampoco tengo. —No es que ella fuera suministrándole información sobre su orientación sexual o su estado civil a cualquier desconocido, pero algo que intuyó en la expresión del chaval le hizo pensar que quizá sería mejor dejar las cosas claras desde el principio.

—Yo también estoy soltero —explicó él—. Y creo que la culpa de que tú y yo estemos solteros debe de ser de esos cachivaches. —Y señaló a la mariposa con una expresión en la que se leían resentimiento, admiración y envidia a partes iguales—. Oye, y la mariposa esta ¿se vende mucho?

—Pues la verdad es que no... El caso es que, no sé por qué, los vibradores para clítoris son los que menos se venden. El típico pene de látex y lleno de venas es ponerlo en el estante y desaparecer. Arrasa. Y sin embargo, mariposas, minivibradores vaginales con lengüeta, vibradores de uña... se venden poquísimo.

—¿Vibradores de uña?

—Éstos... ¿Los ves? Se colocan en el dedo, con un par de pilas de botón, y vibran uniformemente, pero permitiéndote imprimir tu propio ritmo en función de lo que sueltes o aprietes. Son los más efectivos, en mi opinión, porque el porcentaje de mujeres que sólo pueden alcanzar el orgasmo clitoridiano es tremendo, y no lo digo yo, que lo dice Shere Hite. Pero como la ignorancia hace mucho, las chicas y las señoras te vienen buscando un pene que se mueva porque piensan que no pueden tener orgasmos porque el pene inmóvil de su novio/marido no funciona correctamente.

—Me resulta muy interesante lo que dices. —Y su expresión revelaba que, de verdad, le resultaba MUY interesante—. Es que yo estoy buscando algo para una chica... y quería un regalo que le pudiera gustar.

—Pero ¿tú no estabas soltero?

—Se trata de una amiga, no de una novia. Es para su despedida de soltera. Siempre me decía, como en broma, que quería un vibrador, y he pensado que igual le hacía gracia el regalo...

—Y al futuro marido, ¿le va a hacer gracia?

—El futuro marido no se va a enterar. Es más, el futuro marido ni siquiera sabe que existo.

—Ya, entiendo... Pues mira, si me preguntas qué es lo que puede garantizar más placer, es, claramente, algo como esto. Pasando, claro está, por los de rotación vaginal y vibrador de clítoris. Pero éstos no se venden, me temo, primero porque son caros (más de 70 euros) y segundo por lo aparatosos que parecen. Van de los 20 a los 30 centímetros, tienen las bolitas que rotan, lo que les confiere un grosor muy apetitoso, y, además, parece que te tienen que encajar exactamente acoplados. Sin embargo, al rotar una y otra vez sobre el punto G y al masajear a la vez el clítoris, está claro que es, por narices, el más efectivo. Pero a ellos les parece burraco llevarle como regalo una cosa tan complicada, y a ellas les parece una cosa muy difícil de esconder. Que no hemos llegado a admitir ciertas cosas aún por muy avanzados que nos creamos.

—O sea, que aquí vienen mujeres...

—Sí, bastantes... ¿Te sorprende?

—Pues un poco, la verdad. Y... ¿cómo son?

—¡Pues cómo van a ser...! Mujeres, mujeres normales. Altas y bajas, gordas y delgadas, guapas y feas. De todo, como en la calle. Exigentes, eso sí. La diferencia entre el cliente masculino en temas de ortopedia y la cliente en femenino es básica: los hombres no suelen tener idea de lo que buscan. Las mujeres, por el contrario, creen que sí. Con lo cual, si es un cliente, viene derecho al mostrador y te pregunta, y una mujer se pasea de vitrina en vitrina y de estante en estante buscando lo que más le gusta, y si le preguntas, suele incomodarse. Sobre todo las mujeres mayores: llegan, agarran el vibrador con forma de pene, comprueban que no es muy rígido, y se dirigen sin pestañear al mostrador. «Me llevo esto.» Tratar de convencerlas de lo contrario es inútil. La mujer joven, por el contrario, duda, pasea, te dice que sólo está mirando, pero después pregunta. «Y estos dos... ¿en qué se diferencian?» La cantidad de información es abrumadora, así que hay que condensarla. Si lo que quieren es un producto barato, está claro que se llevarán el pene de látex o un vibrador metálico, y a estas que vienen buscando algo barato y rápido para salir pitando sin que nadie las vea se las conoce nada más cruzar la puerta, así que es fácil ahorrarse el discurso y centrarse en un «se diferencian en el material». Ella cogerá el que mejor se adapte a su gusto, el metálico de 19,90 o el de látex de 29,90. En cuanto le empieces a explicar otro modelo te dirá: «No, mira, con éste me vale». Sólo quiere probar si la masturbación con vibrador es tan distinta como se la han pintado en revistas y televisión. Si le gusta, volverá a por otra cosa. Y luego hay otro tipo, que es la tía a la que le gusta saber para qué sirve cada cosa. Se diferencia de las otras en que suele ir acompañada por una amiga para comprar un regalo de despedida o cumpleaños, pregunta «por curiosidad» y no compra nada pero vuelve al día siguiente. También hay excepciones, pero pocas, que vienen solas, investigan solas, te preguntan y después piensan y se llevan lo que les apetezca, pero como decía, esto pasa muy pocas veces.

—Y ellos, ¿te preguntan muchas cosas? Has dicho que no tienen ni idea de lo que buscan...

—Ni idea, ni idea. El caso de los hombres no parece muy distinto, pero lo es. Para informarse, entran siempre en grupos, pero a diferencia de las mujeres que aprovechan que están allí y ya que están, preguntan, ellos entran sólo a preguntar y a reírse. Y otra cosa que no falla, siempre cogen el más grande y dicen que es una réplica del suyo. Siempre. Para preguntar, ya lo hacen riéndose: «Oye, y todos estos aparatos ¿sirven para algo?». Parece muy difícil convencer a un hombre de que dar placer a una mujer es algo simple si se sabe cómo, así que el truco está en decirles lo que estimula cada cosa. Si hablas de clítoris y punto G como algo diferente muchos se pierden y tienes, incluso, que dar una clase de sexología rapidísima, así que es mejor hablarle de diferentes puntos a estimular para garantizar el orgasmo. Orgasmo, la palabra bendita. No falla, alguno cae y compra fijo. Y luego están los concienciados con su pareja, que vienen solos y van directos al mostrador a pedirte que les ayudes a hacer un regalo a su novia o esposa. Se dejan aconsejar y no hablan una palabra mientras se lo explicas, así que tienes que fijarte mucho en las caras que ponen para ver si te están entendiendo o si tienes que ir más despacio. Suelen estar predispuestos a comprar un pack de muchas cosas (vibrador, bolas chinas, esposas, pintura comestible y tanga), pero pueden interesarse por artículos sueltos que les parezcan divertidos para juegos y demás. Por ejemplo, los anillos vibradores, especialmente uno en forma de oso que lleva un minivibrador a pilas en vez del popular que sólo dura de doce a dieciocho minutos. ¡Ah! Y el huevo vibrador. Eso arrasa. Llevo meses vendiendo uno o dos por semana. Primero, que en programas de televisión lo han publicitado muchísimo, y segundo, que les encanta la sensación de control sobre el placer de su mujer que van a tener con algo tan sencillo como un mando a distancia.

«Después, lo que más compra este tipo de cliente son bolas y plugs anales para intentar que su pareja pierda el miedo a estas relaciones. Y ya, por fin, los juguetes que estimulan el clítoris y el punto G. A diferencia de los que vienen acompañados por amigos y de puro cachondeo, a éstos sí que hay que nombrarles siempre clítoris y punto G, porque ellos sí que están mostrando un interés por hacer más amena su relación, y saben que esas dos palabras pueden cambiar radicalmente sus noches de juego sexual... —Llevaba hablando sola casi cinco minutos, así que tomó aire. Era una experta en soltar conferencias de ese tipo. Hablaba mucho, porque así vendía más. A los clientes siempre les impresionaba la seguridad con la que se expresaba, y lo mucho que parecía saber de sexo. Ella lo sabía, y le gustaba sentirse así, poderosa y segura, porque lo cierto es que en su vida privada se comportaba como una mujer bastante indecisa, incluso inconstante, sobre todo en lo emocional. Habiendo recuperado el aliento, y sin que el chaval rubio hubiese articulado palabra durante su pausa, prosiguió—: El matiz de juego sexual es importantísimo, porque los hay que sólo quieren comprar un vibrador porque se van lejos, o porque tienen una amiga separada. Ésos son los que siempre comprarán un pene digas lo que digas acerca de cualquier otro juguete. Un hombre que esté soltero y necesite «desahogarse» alquilará una película porno, pero un hombre que esté soltero, no quiera o pueda relacionarse, y necesite sexo, siempre comprará una vagina. Por eso, porque en su mente una mujer que esté sola y comente que echa de menos o necesita un hombre, necesita un pene de látex, y no cualquier otro aparato. Así que a los tíos que vienen tengo que empezar explicándoles lo básico, cómo funcionan los penes y las balas más básicos, que llevan una o dos pilas y una rosca en la base para aumentar y disminuir la velocidad.

—¿Las balas?

—Sí, esos vibradores pequeñitos que ves ahí, los metálicos... Después vienen los mismos pero con mando a distancia, que es mucho más cómodo. Y ya empiezan los más interesantes: huevos vaginales a control remoto, que son muy buenos para juegos en pareja, si tu pareja lleva el mando, porque tienen hasta veinte metros de alcance. Suelen llevarse para esto, porque a ellos les encanta la idea de poder activarlo por la calle, o en medio de una discusión, no entiendo esa manía que tenéis los tíos con el control. Y también hay vibradores tipo bala con velocidades, vibradores que se activan con la música del iPod, vibradores y estimuladores de clítoris, bunnies, vibradores de punto G, consoladores realistas (sin vibración) hechos con el molde de algún actor porno, sobre todo la réplica de Nacho Vidal, que incluye vaso de tubo para comprobar que es más ancho... En fin, que tenemos de todo. De todo.

Repitió la última frase con un guiño pícaro. Empezaba a intuir que él estaba casi más interesado en ella que en la oferta de ortopedia del local, y no se sorprendía. Ya le había pasado más veces. Había tenido ofertas de todo tipo, casi todas indecentes. Y había aceptado pocas, muy pocas, entre ellas la de la chica de melena rubia a la que tanto le recordaba el violinista.

—Y tú, ¿cómo es que trabajas aquí?

—¿Por qué? ¿Te sorprende?

—Pues sí, si te digo la verdad, un poco...

—Ya... No debería sorprenderte, pero a mí tampoco debería sorprenderme que a ti te sorprendiera, porque la gente es muy corta, siempre lo digo. Pues verás, la oferta del sex-shop me llegó a través de un amigo gay, en una época de deriva económica en la que estaba haciendo tarjetas de crédito para una empresa de dudosa reputación, así que no dudé en aceptarla.

—¿Y a la gente no le choca?

—No, ya no... Al principio, como no podía ser de otra forma, empecé a ocultar el trabajo en algunos círculos, diciendo que trabajaba en un videoclub, pero como al final en un sex-shop te acabas encontrando a más gente conocida de la que jamás pensarías, acabé por admitírselo a todo el mundo. Ya llevo aquí dos años, y creo que todo mi círculo lo sabe, salvo el director de mi banco, que está convencido de que bailo en una cabina. ¿Te imaginas? ¿Yo, bailando en una cabina? ¿Con este cuerpo? —Por la expresión soñadora que iluminó los ojos del chico, ella entendió que él sí que la imaginaba bailando, así que, nerviosa, siguió con su cháchara para evitar un silencio incómodo—. En nuestra tienda, siempre ha habido un chico y una chica, a diferencia de otras que tienen todo chicos o todo chicas, porque somos conscientes de que hay hombres que a mí no me van a preguntar ciertas cosas, y a mi compañero, hay mujeres que no le van a preguntar otras. Por ejemplo, hubo un hombre que se negó a hacerse socio del videoclub porque estaba buscando películas de asiáticas y estaba claro, para él, que yo no podría encontrarle ninguna. Como si fuera un poco lela y no supiera distinguir una asiática de una occidental en una simple carátula. O también fue sonado el de un hombre que estuvo media hora para explicarme que quería un aumentador de potencia, el típico Spanish Fly, vamos, lo que te piden la mayoría, pero él no quería parecer impotente, entonces tuvo que contarme toda una historia increíble de que era por probar, porque no necesitaba ni Viagra ni nada parecido, de que sólo quería estar un poco más hábil. Vamos, que creo que al chico no le habría ido con semejante milonga, que si yo hubiera sido hombre, no se hubiera sentido obligado a justificar su potencia.

—O sí, vete tú a saber. Pero claro, seguro que hay muchos hombres que se incomodan frente a una mujer... —aseguró él con aire de decir sin decirlo algo como: «A mí no me incomoda en absoluto».

—Huy, muchos, muchos... ni te imaginas. Y en esos casos rondan por la tienda, te miran, y vuelven al otro turno, cuando saben que está el chico, para preguntarle a él. Pero lo normal es que se sientan, incluso, más cómodos. Y hay que tener en cuenta que tenemos un público gay-bisexual muy amplio, que te llegan a utilizar como confidente, y que de hecho acaban convirtiéndose casi en amigos. Algunos me han llegado a traer la cena y todo, porque yo, aquí, tengo que cenar de telepizza casi siempre. En el fondo, son todos unos angelotes.

—Y amigas chicas, ¿has hecho amigas?

Ella fingió ignorar el doble sentido de la pregunta.

—Muchas. Son muchas las que vienen a mi turno diciendo: «Es que por la mañana estaba un chico moreno y me dio cosa preguntárselo», o «Es que no me fío de lo que me diga tu compañero porque tampoco tiene por qué saber mucho». Que en el fondo, no es tan claro, que yo no tengo por qué haberme probado todos los juguetes de la tienda, pero supongo que tienen un poco de razón en lo que dicen, porque a alguno de mis compañeros hemos tenido que explicarle cien mil veces la diferencia entre vibrador anal y vaginal.

En esta última frase él bajó los ojos, y ella habría jurado que se ruborizó, pero quizá sólo fueran imaginaciones suyas. En aquel momento le recordó más que nunca a su antigua novia. Transcurrieron unos instantes de incómodo y denso silencio, hasta que ella decidió cortarlo con la navaja de su pregunta.

—Bueno, y ¿ya has pensado en lo que quieres llevarle a tu amiga?

—Éste... —Parecía que él volviera a la tierra desde un lugar muy remoto al que se había retirado mentalmente—. Éste... sí... la mariposa. Eso, la mariposa. Me llevo la mariposa.

—Excelente elección. Te aseguro que tu amiga te lo agradecerá muchísimo. Y que nunca te olvidará. —Subrayó la última afirmación con una sonrisa pícara y cómplice. Después se dirigió a la trastienda con una caja de cartón que contenía la mariposa. La envolvió con destreza en un papel de un bonito color fucsia. Él le entregó una tarjeta de crédito, ella la pasó por el lector y se la devolvió, junto con la mariposa discreta y coquetamente embalada.

—Pues nada, aquí está. Espero que ella la disfrute mucho.

—Eso espero. —Y, devolviéndole la sonrisa, repitió—: Eso espero. —Y luego, como no le apetecía irse de la tienda, salió con otra pregunta—. Oye, y las cabinas de vídeo ¿cómo funcionan?

—Pues muy simple, escoges una de las doscientas películas que hay en el menú o, si quieres, una de las que tenemos en el videoclub. Yo te la pongo y luego te cobro.

—Vale, pues me escoges la película tú. Me fío de tu gusto.

«Te voy a meter una de lesbianas que te vas a enterar, por memo», pensó ella.

—Muy bien, vete yendo a la cabina ocho. Es la más próxima al mostrador.

A los pocos minutos él salía de la cabina y se plantaba de nuevo frente a ella.

—Perdona, pero es que no sé cómo se pone la película, me hago un lío con los botones.

Ella le creyó, porque no era la primera vez que se encontraba a un cliente con el mismo problema, y se dirigió con él a la cabina. La verdad es que le pilló de improviso que él la cogiera por la cintura en cuanto estuvieron juntos en aquel reducido espacio.

—A lo mejor te parece una tontería, pero ¿puedo dejar la puerta abierta?

—Tú verás, pero hay gente en las otras cabinas, y pasan por aquí...

—Ya, es que eso es lo que me gustaría, que de vez en cuando pasaras y miraras...

Ella estaba a punto de soltar alguna bordería del estilo: «Cómprate una webcam y métete en un chat», pero... pero aquella melena rubia y sedosa la perdía. Sí, era muy mono, pero eran las once de la noche, y a ella, los tíos, como que no le decían nada. A las once de la noche había gente por todas partes, cabinas, sala, tienda, videoclub... Y entonces, de repente, se dio cuenta de que él se había quitado la camiseta, y que tenía los pantalones y los calzoncillos bajados. Tenía abdominales donde ella nunca pensó que se pudieran tener, y además estaba depilado completamente a láser. Com-ple-ta-men-te, sí. En tamaños, no parecía que lo suyo fuera gran cosa, pero sus amigas las hetero decían que no importaba, ¿no? Vamos, que a ella no le importó ni un poquito. Además, el chaval había tenido la sutileza de dejar la película puesta, sí, pero de fondo.

Estaba sentado frente a ella, tocándose.

—¿Te vas a quedar?

—Es que hay gente en otras cabinas, hay gente en la sala, y puedo perder el trabajo...

Él le cogió la mano y, muy despacio y con suavidad, la acercó hacia su miembro.

—No te pases de listo porque todavía te echo.

Pero la besó, y ella no le echó.

Él deslizó las manos bajo la camiseta y deshizo en segundos el cierre del sujetador. Ella pensó que era mucho más hábil que las novias que había tenido, que normalmente se eternizaban procediendo a la misma operación.

—Ni se te ocurra quitarme la camiseta, porque si oigo ruido en la tienda tengo que salir disparada, y como para ir vistiéndome por el pasillo.

Y en ese momento se oyó un ruido de puerta al abrirse.

Se quedaron inmóviles, abrazados, con la película en pausa, esperando a escuchar el ruido de la puerta de la calle.

La puerta de la calle se cerró.

Sc liaron a besos y arañazos como locos.

Él intentó desabrocharle la abotonadura de los vaqueros.

—Ni loco, para. No pienso hacerlo con gente en la tienda —susurró ella.

—¿Por qué no la pruebas? —Él también hablaba en susurros, y a ella aquello la excitó.

—Porque nunca he probado ninguna.

Cuando él escuchó esta confesión, su erección se tensó todavía más. Se deshizo en cuatro golpes de los pantalones y los calzoncillos, se sentó, completamente desnudo, en el sillón y paró la película.

Ella empezó a lamerlo muy, muy despacio, como si se tratara de un helado que un niño pequeño quiere hacer durar.

Él le acariciaba el pelo una y otra vez.

Se oyó un ruido. Ella paró en seco.

—Me estás volviendo loco.

Y la verdad es que ella veía en los ojos que se estaba volviendo loco, y que estaba a punto de acabar en cualquier momento.

—Te advierto que ni en sueños vas a conseguir de mí más que esto.

—Tú no te preocupes, con esto a mí me sobra.

Y se corrió. Y ella apartó la cara, asqueada. Y salió disparada al mostrador, donde la estaba esperando un tío que quería comprar unas bolas chinas. Cuando se las estaba cobrando salió el violinista de la cabina, con la camiseta puesta, y, tras dirigir a la dependienta una mirada cálida como el color de su pelo, abrió la puerta de la calle y desapareció.

Y ella pensó: «Nadie me va a creer cuando lo cuente».

Porque pensaba contarlo.

Vaya que si pensaba contarlo.

# LA MIRADA DE OLGA

*de*

Lucía Etxebarria

*Para el chico que lleva mi pendiente.*

Olga se despertó con la boca seca, la cabeza espesa y el cuerpo dolorido. Le llevó un rato reconocer aquella cama, aquella habitación de hotel y aquel cuerpo que dormía a su lado. Cerró los ojos para hacer memoria.

Nada nuevo, nada que los dos, cada uno por su lado, no hubieran hecho antes. La novedad estribaba en el hecho de que aquélla había sido la primera vez que lo habían hecho juntos. Quizá también fuera la última, y en aquella incertidumbre radicaba gran parte de la excitación y el encanto del encuentro.

Olga se incorporó, saltó de la cama y se dirigió al mueble bar para hacerse con una botella de agua. Estaba situado justo bajo el enorme ventanal que daba al mar. Olga descorrió ligeramente la cortina para dejar entrar un rayo de luz que iluminara el cuerpo tumbado en la cama y le permitiese, desde su posición privilegiada, apreciar en detalle la belleza dormida, el cuerpo desnudo que no esconde nada, o en todo caso lo disfraza. Los pies grandes, el ángulo exquisito del tobillo, las piernas largas y torneadas, recubiertas por una pelusa negra hasta la altura de la rodilla, el vientre liso, la cintura escueta, los anchos antebrazos («ah, claro», recordó, «los tiene así porque toca el bajo»), la nuca rapada, los pendientes de corsario, las pestañas en abanico... abanico que se desplegó en el momento en que él abrió los ojos, y repitió el mismo proceso que Olga había recorrido minutos antes: sus pupilas perdidas recorrieron la cama deshecha, las mesillas gemelas, la moqueta roja, toda la impersonal decoración de aquel cuarto de paso, y luego se posaron en Olga, al principio aturdidas, luego reconocientes, finalmente ávidas, y Olga saboreaba su fascinación, su mirada tensa que la iba esculpiendo como una estatua viviente, se sabía desnuda, y se sintió, por primera vez en muchos años, apetitosa. Quién no ha proyectado en la mirada de otro, y, por consiguiente, en el diseño deslumbrante de una vida nueva, la ambición de tener lo que no tiene y de ser lo que no es.

—Buenos días.

—Lo mismo digo.

—¿Quieres agua?

El chico articuló un gruñido que Olga interpretó como un «sí». Se dirigió a la cama, se sentó a su lado y le acercó la botella a los labios, permitiéndole beber apenas un sorbo. Después se echó un chorro en el canal que se abría entre los senos, y dejó que él sc lo lamiera, y que siguiera lamiendo luego los pezones, jugando con ellos como quien saborea un carozo de aceituna antes de escupirlo. Olga apoyó las manos en los sólidos hombros del muchacho y se sorprendió de la suavidad de la piel en un cuerpo que, sin embargo, resultaba extraordinariamente firme. No trabajado en exceso, nada de abdominales de tabla de lavar que sugiriesen gimnasio o esteroides, más bien una firmeza que hablaba de mucha actividad, de caminatas y carreras, de persecuciones y bailes, de una vida completamente ajena a escritorios, sillones u oficinas.

—Van a ser las doce —anunció ella, intentando

sobreponerse al hormigueo que le bajaba desde los pezones hasta el estómago.

—¿Y...? —preguntó él, con el pezón todavía en la boca.

—Que a las doce tengo que dejar el hotel.

—Bueno... —Él abandonó el jueguecito y se puso serio—. Siempre podemos llamar y decir que nos quedamos una noche más... ¿Te apetece? Nosotros volvemos a tocar esta noche. Te diría que te vinieses a mi hotel, pero comparto habitación con Pumuky, el cantante. A no ser, claro —él había reparado en la expresión preocupada de Olga—, que te esperen en Madrid.

—Bueno, sí... más o menos. O sea, no me esperan —mintió—, pero tengo cosas que hacer. Además, tú también tendrás que hacer, ¿no? Probar sonido y esas cosas.

—No, qué va, el sonido salió perfecto ayer, o eso dijo todo el mundo, así que no creo que hagan falta más pruebas. —El concierto, recordó ella. Tenía ante sí a un trofeo, a un botín conquistado en dura lid a un tropel de quinceañeras que botaban entusiasmadas, los ojos fijos en las tres presencias del escenario. Sentía que se había llevado un premio importante, fieramente disputado—. Tengo todo el día libre... —prosiguió él, mimoso—. Podemos ir a comer frente al mar, o podemos quedarnos en esta habitación toda la mañana, si tú quieres.

A Olga le vinieron a la memoria ráfagas de la noche anterior. Cómo en el último momento, después de confirmar que la reunión se alargaba más de la cuenta, había decidido quedarse a cenar en Barcelona con sus homólogos. Todo a cuenta de la Visa Platino de la empresa. Cómo alguien sugirió la sala Bikini, cómo acabaron en el *backstage* (al fin y al cabo, trabajaban en el grupo de comunicación más importante del país, y estaban acostumbrados al trato de favor en los locales dc moda), el flirteo sostenido con aquel chico de ojos negros y pendientes de corsario que podría haber sido... ¿su hijo? La verdad es que, biológicamente hablando, todo era posible. Había sido muy fácil, de una naturalidad casi conmovedora, habían llegado al hotel borrachos y enlazados, se habían besado en el ascensor, reconociendo los cuerpos por encima de la ropa, la crección promisoria de él y los no menos promisorios y no menos erectos pezones de ella, habían atravesado el estrecho pasillo de la habitación aferrados el uno al otro como náufragos a un tablón y dando tumbos y, sin más preámbulos, se habían dejado caer en la cama, y, quitándose la ropa el uno al otro, entre risas, se habían comportado como animales jóvenes, sanos y felices, triscando en un salvajismo voraz y celebrante, enredados en un tiovivo de miembros, repitiendo gestos que han existido desde el primer apareamiento. Ella le mordió los lóbulos de las orejas y jugueteó con el pendiente de él, y le encantó aquel sabor ferroso, que encontraba, a saber por qué, muy masculino. La carne se desnudó y se anudó (ella llevaba un conjunto de encaje negro y él no llevaba ropa interior, nada bajo la camiseta y los vaqueros), la escondida torre se alzó desafiante (no demasiado grande pero sí muy firme, con un bonito tono oscuro y una nervadura azul que la atravesaba y le confería un cierto aire de peligro), él avanzó como el paladín de una batalla, enarbolando su certidumbre inquieta, desenvainando su espada trémula, se encontraron los labios, se indagaron mutuamente, con suavidad al principio, con furia después, hasta que se hincharon y palpitaban de dolor, y entonces los acariciaron con la yema de los índices, con calma, dibujando los contornos, luego juntaron los labios con la lengua, y la lengua con los dientes, y los dientes con el cuello, y el cuello con el pecho, y el pecho con los senos, y los senos con las palmas, y palmas con pezones, y pezones con labios, y labios con nalgas, y nalgas con ombligo, y ombligo con ombligo, y labios con pene, y labios con clítoris, y talones con rodillas y pene con vagina, y la fragua lenta e íntima fue martilleando, martilleando la brasa estremecida, una flor se abrió y se hizo cascada, y la torre acabó derramándose por la salobre galería, el laberinto marino y hambriento que se abría entre sus piernas. Todo confuso y enmarañado, recordado en sensaciones y no en imágenes.

—Si me quedo esta noche —preguntó ella con voz pícara—, ¿me harás un favor?

—Pide por esa boquita.

—¿Me lamerás los dedos de los pies?

Él se rió.

—Lo que tú quieras, reina. Te lameré lo que me pidas.

Olga se incorporó de nuevo.

—Espera, tengo que ir al cuarto de baño.

De camino, recogió el bolso que estaba tirado sobre la moqueta roja.

Se encerró, se sentó en el borde de la bañera y sacó su móvil. Marcó el número de su marido. A los tres tonos, reconoció la voz familiar, áspera, ronca y (al menos así le parecía a ella) desabrida.

—Dime... —Por supuesto, sabía que era ella, había leído su nombre en la pantalla del móvil, y su voz sonaba monótona como la esencia misma del lazo que los unía. Se le vino a Olga a la cabeza una noticia que había leído en el puente aéreo, de camino a Barcelona.

—Hola, cómo estás, sigo en Barcelona... —Tenía que mantener el tono bajo para que el chico que estaba tumbado en la cama no pudiera escucharla—. Oye, que ayer por la noche estuve cenando con Isabel... —Isabel era una antigua amiga de los tiempos del colegio, con la que se veía muy de cuando en cuando. De hecho, ni siquiera se había acordado de llamarla en aquel viaje— y la he encontrado muy deprimida... —Había miedo en esas torpes mentiras que le trepaban por la lengua, pero él no fue capaz de descifrar el engaño que transportaba el matiz titubeante de las palabras de Olga—. Se ha separado de su último novio, ¿sabes? Y bueno... Que he pensado en quedarme un día más a hacerle compañía, si a ti no te importa, claro, y volvería ya mañana.

La noticia se refería a una encuesta encargada por una empresa de cosméticos italiana sobre las consecuencias físicas y psíquicas del adulterio.

—No, claro que no me importa.

Por supuesto que no te importa, pensó ella. En realidad, si hubieras presentado alguna objeción, si me hubieras pedido que volviera, lo habrías conseguido.

—Y, bueno, ¿qué vas a hacer hoy? —preguntó Olga, por preguntar algo.

—No sé... Lo de siempre, supongo. Quedaré con éstos a tomar unas cañas y luego me pasaré por casa de mis padres. Esta noche igual me paso por casa de Iñaki a ver el fútbol.

Fútbol. A Olga la palabra le traía recuerdos de veladas inacabables frente al televisor, de cervezas que iban y venían, de picoteo de patatas y aceitunas, intentando en vano asimilar la mecánica del juego o por qué hombres presuntamente cultos y civilizados perdían de tal manera los papeles cuando la pelota entraba en la portería. Su marido, de natural tranquilo e incluso —según y cómo— apático, era de los que más gritaban, con un entusiasmo orgásmico que, desde luego, no mostraba para con ella en la cama. El chico que había dormido a su lado, sin embargo, era bastante ruidoso. No sólo a la hora de correrse, aunque también. Según recordaba Olga, había estado punteando toda la noche con sus gemidos, unos ayes continuos que a la propia

Olga le parecieron, al principio, forzados, teatrales, pero que, se dio cuenta más tarde, eran espontáneos. «Éstos», con los que su marido pensaba quedar, eran sus amigos de toda la vida. Presencias que adornaban el paisaje de fondo de su relación, hombres a los que Olga conocía desde hacía muchos años, desde que eran muchachos, hombres que habían ganado kilos y añadido arrugas y canas a su fisonomía, pero que, en lo fundamental, no habían cambiado desde entonces. Hombres de los que, en realidad, poco sabía. Si le hubieran preguntado cuál era el autor favorito de Carlos el Tiburón, o cuál el peor recuerdo de Dieguito el Miserias, se habría quedado en blanco. Todos tenían novias que hablaban poco y que la miraban —o eso sentía ella— con cierto recelo. Al fin y al cabo, ella era la única de entre las mujeres unidas a los hombres de aquel grupo que tenía un trabajo bien pagado, un trabajo con subordinados a su cargo, con coche de empresa, con viajes en clase business, con decisiones importantes. Quizá era la única infiel. Pero, no, eso lo dudaba. O prefería dudarlo. Al fin y al cabo, ¿cómo era aquel verso?, nadie establece normas, salvo la vida.

—Pues nada… Hasta mañana entonces. Un beso.

Se sentó en la taza del váter e hizo pis. El chorro caliente le quemó la piel, irritada a causa de la refriega de la noche anterior. Cuando contrajo el túnel de la vagina para cortar la micción sintió un dolor agradable, la huella del paso de aquel chico por su interior. Después, se examinó detenidamente en el espejo. Tenía los muslos constelados de cardenales. Se dio la vuelta y se miró de costado, para encontrarse con la marca de unos dientes en la nalga derecha. Bah, con un poco de cuidado su marido nunca lo vería. En invierno ella se metía siempre en la cama en camisón, y por las mañanas él se iba dejándola dormida, porque trabajaba en un polígono industrial en el extrarradio y tardaba más de una hora en llegar hasta allí. Bastaría con que tuviera cuidado en no dejarse ver desnuda una semana, y después las marcas habrían desaparecido. Pese al pelo enmarañado y las ojeras, se encontró guapa. Espléndida y triunfal. Los ojos le brillaban como brasas, con un resplandor de resaca pero también, por qué no, de descubrimiento. Quizá no por casualidad.

Las cifras de la encuesta le bailaban en la cabeza.

Las mujeres rejuvenecen con la infidelidad; el 47 por ciento se preocupa más de su aspecto tras echarse un amante; el 28 por ciento adelgaza y recupera la línea; el 24 por ciento asegura que su piel se vuelve más tersa y luminosa, y el 52 por ciento sostiene que la traición les aporta más equilibrio psicológico.

Además, el 26 por ciento confiesa que no tiene ningún sentimiento de culpa.

# DÉJATE HACER

*de*

Lola Beccaria

El reportaje cuenta novedades femeninas. Las mujeres prueban a ser hombres. O, mejor dicho, las mujeres prueban los juguetes de los hombres. Una escritora resume en un artículo su última experiencia. Por encargo de una revista ha contratado los servicios de un escort. Lo que vulgarmente se ha llamado gigoló toda la vida. O sea, pagarle a un hombre para que te haga de acompañante en una velada y, como broche de cierre, para que te consuele sexualmente si te sientes con ganas o con ánimos.

Al final del artículo figuran una dirección y un teléfono. En un arranque sin claro objetivo, ella marca el número en el inalámbrico y, al oír una voz de serpiente al otro lado, aprieta veloz el botón rojo. Se dirige a la cocina y saca un paquete del congelador. No acaba de abrirlo y ya está sonando el aparato. Contesta sin reconocer quién la llama.

—¿Sí, dígame?

—Perdone, pero creo que nos acaba de llamar.

—¿Quiénes son ustedes?

—Escort Dreams.

—Bueno, sí, es que... me he equivocado.

—Claro, no se preocupe, suele pasar. Pero, aprovechando su llamada, ¿le importaría que le hiciera una pregunta muy sencilla?

—No.

—¿Es usted soltera?

—No exactamente. Soy separada.

—Ya. Pues, si no le molesta, y puesto que el azar la ha traído a nuestras puertas, podemos informarla, sin compromiso alguno y con total discreción, de este servicio.

—¿De qué servicio habla?

—Somos un servicio de compañía masculina de alto nivel para mujeres modernas que necesitan, en un momento dado, ir con un hombre a algún evento. Es absolutamente discreto y nuestros chicos son elegantes, atractivos y cultos. —Pensó en el congreso de odontología. Siempre iba con su marido a la cena de gala, y este año, por primera vez, tendría que acudir sola—. ¿No se encontrará usted por casualidad en esa situación?

—Tengo que asistir a un congreso...

El dedo cruza el umbral de la expuesta abertura. Primero tantea, buscando la superficie de contacto, luego acaricia, presiona, frota, relame. La humedad se adhiere a la piel del guante de látex formando hilos pegajosos que oscilan levemente, como muelles de espuma que ticmblan sin soltarse.

—Doctora, la llaman al teléfono.

—Ahora no puedo. ¿No ves que estoy en plena endodoncia?

—Me ha dicho que es urgente.

—Perdone. Enseguida vuelvo. No se mueva, por favor.

*—¿Sí?*

—...

*—¿Los papeles?*

—...

*—Hace un mes que te los envié, tal como me pediste.*

—...

*—Está bien. Cuando lleguen los nuevos, los firmo y te los mando por mensajero.*

Deja caer el auricular despacio mientras levanta la vista, que se pierde en la pared de enfrente, donde cuelgan en procesión diversos títulos y diplomas. La enfermera, de pie detrás de ella, no se mueve. Todos los marcos parecen estar torcidos. Se acerca hasta tocarlos y los va nivelando con precisión y parsimonia, mientras el cliente espera con la boca abierta sobre el sillón de operaciones. Cuando decide que están rectos, vuelve a la banqueta de la consulta. Allí, la situación se está desbordando.

El paciente, que no puede hablar ni tragar, le suplica con la mirada una solución a su atranco de saliva en la boca. Para advertirla definitivamente, se atreve a agarrarle la bata; pero ella le da un golpecito en el hombro, instando a la tranquilidad, y permite que el surco de babas siga su trayectoria hacia abajo. Una vez el líquido alcanza el babero de papel, éste se va empapando poco a poco.

El rostro que la doctora tiene a la vista está cada vez más enrojecido. Los ojos se humedecen. El paciente llora y ella no quiere evitar su sufrimiento. Lo conoce de siempre. Es un hombre exigente, y la pone un poco nerviosa. Le recuerda a su marido. Cuando eran novios ella mascaba constantemente chicle sólo porque él le había comentado que no soportaba el mal aliento en las mujeres. El sabor del colutorio, el olor de las pastas dentífricas, el tacto de la seda dental, habían acabado anidando en su vida íntima tanto como obligadas le eran en su trabajo. Como resultado, hoy su salud bucal es excelente. Aunque ya lo era entonces, cuando no se podía permitir el riesgo de una crítica tan hiriente.

Tiempo después de su boda ella dejó aquel hábito, con bastante esperanza y cierta aprensión. Sin embargo, no sólo de la higiene depende el buen aliento. Por ejemplo, un desorden estomacal puede obligarte a restablecer antiguas servidumbres y reavivar tu dependencia de la goma de mascar; no ya para conjurar una imaginaria catástrofe, sino por un desastre hecho realidad.

Intenta memorizar y se da cuenta de que hace mucho tiempo que no masca chicle. En su caso, el tiempo sin chicle equivale a la ausencia de contacto físico. Y, sin embargo, los nervios no se le han ido. Sus digestiones son infernales. Un motivo razonable para que alguien deje de amarte. Seguro que la nueva mujer de su ex marido es felizmente asintomática. Es probable que, de tan sutil, defeque mieles y compotas. Debe de comer como un colibrí, pues está delgadísima.

Pero ella también está delgada. Habrá una diferencia, sopesa, entre la delgadez de esa recién estrenada amante, fruto de una decisión personal en busca de la elegancia, en armonía con la moda, y la de ella, que es producto de un reconcomerse por dentro.

Podría arrancarle ahora mismo todas las piezas dentales a su imperioso cliente. Dejar esas encías desnudas. Rosadas y suaves. Igual que arrancarle las espinas a una rosa. Lamerle a ese hombre los muñones de la boca debe de ser placentero. Sólo disfrutar el terciopelo de los pétalos, una vez desprovista la flor de sus puñales. Y cortarle además la lengua, sorberle la sangre.

Coge entonces el bisturí. Revisa su filo. Se demora en la tarea. Se para un instante, unos segundos de silenciosa complacencia. Y luego lo vuelve a soltar sobre la bandeja aséptica, que tintinea con estrépito al estrellarse contra su superficie el recio metal del instrumento. Agarra ahora el tubo succionador y lo encaja junto a la lengua de su cliente. El aparato sorbe estrepitosamente. Las lágrimas se frenan. El rostro se distiende. Termina su trabajo.

La selección fue complicada. Una foto no dice mucho cuando estás llena de prejuicios y tienes problemas estomacales. Cuando estás en esa fase en que los hombres te parecen animales feroces e implacables sólo porque tú estás derrotada de antemano y no tienes la suficiente agresividad para aguantar el tirón de conocerlos, una simple foto da miedo. Son tan guapos que te sientes humillada. Jamás seducirías a ninguno; sólo alcanzas a comprar sus servicios con el dinero de tu cuenta corriente.

Pero no se trata de enamorar a nadie, eso sería inapropiado, una aspiración ridícula en semejante contexto. Ella tiene con qué pagar. Y sin embargo, a pesar de tan sensato cálculo, la idea de enamorarlo se le pasa por la cabeza de forma automática, como un mandato obligado sobre el que no tiene control. Tal vez porque ella es de esas personas que buscan ser apreciadas hasta por el portero de su casa o por la asistenta que le viene a limpiar. O tal vez porque en algún sitio de su memoria tiene grabado que su misión es seducir y complacer.

Escogió un poco a voleo. Un rubio de ojos azules sin excesivo músculo. No quería sentirse apabullada por la hombría barata de unos hombros desmedidos y un pecho de pavo hinchado. Le daba la sensación de que tras ese decorado se agazapaba una escasa virilidad. Si alquilaba un hombre, que por lo menos no fuera previsible desde un comienzo.

El congreso era en la ciudad. Acudiría con su acompañante a la ceremonia de apertura.

Se levantó descompuesta. Había soñado que se le caían todos los dientes. El ardor de estómago la maltrató todo el día. Se arregló como pudo. Un vestido escotado. Sin joyas. Zapatos de tacón. Un poco de rímel y labios rojos. No encontró chicles a mano. Se lavó los dientes al salir, después de haber vomitado.

Una manta de calor la envolvió de golpe al abrir el portal y salir a la calle. Finales de septiembre y parecía verano, a no ser por las hojas secas que barría el pesado viento. Se dirigió a la puerta del taxi que esperaba enfrente. Observó una mano salir por detrás de su espalda, adelantarse y abrir. Gemelos, manga blanca, chaqueta negra. Mano joven, estilizada, sólida, piel morena. Retrocedió para dejar paso a la puerta que se abría y luego avanzó hacia el interior del coche con la vista fija en el tapizado del asiento.

No miró en todo el trayecto más que a la nuca del taxista o por la ventanilla de su lado. Cuando por fin el coche paró en su destino, ella intentó de nuevo el mismo movimiento de abrir la puerta, esta vez desde dentro, pero una sombra ágil y alta apareció en un segundo y, desde fuera, le arrebató la acción. La misma mano de antes tendida ahora hacia ella. Con la cabeza inclinada hacia abajo se cogió de aquella impecable extremidad humana. Posó sus dedos de uñas cortadas, delgados y rocosos, en aquella plataforma de carne tibia y huesos salientes que se le ofrecía. Y al contacto, que ella había imaginado como la maldición de un rechazo inevitable, sintió un chispazo de bienestar desmayante. Entonces, se aferró a aquel brazo como a la barandilla de una escalera empinada en alta mar y subió, sin marearse, todos los peldaños de entrada al edificio.

—Gracias.

—¿Por qué?

—Por...

—Estoy aquí para hacerte feliz.

—No estoy acostumbrada.

—¿A qué? ¿A que un hombre se preocupe por hacerte feliz?

—No. No es eso. Yo siempre me abro las puertas.

—No te gusta deber nada a nadie.

—No.

—Bueno, pues has encontrado la horma de tu zapato: resulta que me pagas por hacer esto.

—No me refería a eso.

—No doy una.

—Es sólo que, aun pagándote, me he sentido en la obligación de agradecértelo.

—Vaya, esa enfermedad no sé si tendrá cura.

—No te burles. Lo que ocurre es que a pesar de que pago tu sueldo no me siento la jefa del equipo, nada más.

—Y yo, que pensaba que habías descubierto que te gustaba tenerme a tu servicio...

—Te equivocas.

—Vaya, mi capacidad psicológica va en aumento.

—Me gusta.

—¿Entonces?

—Me siento incómoda en esta posición.

—¿Incluso después de haberte dado cuenta de que te gusta?

—Me abre un precipicio por delante. No estoy acostumbrada. Como si no lo llevara en los genes.

—¿Quieres que mande yo?

—Qué complicado.

—En realidad, daría lo mismo. Seguirías mandando tú, ya que obedezco tu orden de mandarte.

—Pues es verdad.

—¿Notas esa sonrisa que se te ha puesto...?

Él fue su báculo toda la noche. Era una roca servicial, impecable en su profesionalidad y, sin embargo, por momentos, ella no podía evitar verse como una carga para él. Recordarse constantemente a sí misma que le pagaba de su bolsillo no la consolaba gran cosa, pero la ayudaba a pasar los minutos sin querer escapar de su lado o sin querer vaciarse la cartera y poner todo su dinero en aquellas manos divinas que la guiaban y la sostenían, como una necesaria propina que ajustara el precio pagado a su verdadero valor y borrara de paso cualquier resto de bochornosa inferioridad.

No es que se sintiera avergonzada por haberlo contratado. Nadie sabía la verdad. Todos la veían acompañada de un hombre joven y apolíneo. Notaba sus miradas y le hacía gracia la situación, aunque le asustaba disfrutar tanto de aquel engaño que sólo ella conocía. No sentía desdoro, ni pudor. La excitación de la osadía era más intensa que el miedo a ser desenmascarada. No sabía qué podía sentir un hombre en una situación pareja, pero sabía que en ella no era presumir o saberse envidiada o poderosa, sino ebria de compañía, la lealtad solvente y probada —aunque sólo fuera por el plazo de una noche— de su acompañante. No era la necesidad de un adorno a su persona ni la prueba ante el mundo de ser amada por alguien socialmente valorado. No sentía resquebrajada o sucia su moral. Lo que sentía era no tener suficiente dinero como para comprarlo eternamente.

Lo cierto es que su cuerpo vibraba, aferrada a aquel potente remo humano. Caminaba erguida, y los brazos se le tensaban solos, en un imperceptible movimiento desde la clavícula hacia afuera; aquel alegre arqueado estiraba la piel de forma que hacía brillar sus hombros desnudos con juvenil apariencia. Y cuanto más vibraba la cuerda ósea y muscular, más se hacía presente la sustancia física de que estaba compuesta. Sentía el roce de la ropa, las gomas de su breve tanga se clavaban en la fisura de sus nalgas, y la tela se le había colado en el estrecho canal de la entrepierna; aquel triángulo prieto le presionaba en mitad del pubis a cada paso que daba y la hacía estremecerse poseída por un aliento oculto, íntimo.

Tras la euforia de la desfachatez en público, que la embriagaba y la había empujado a invitarlo a subir a su casa al término de la cena, la congoja de estar a solas con él.

Una vez arriba, había empezado el baile sin mediar palabra. Él abrazaba, besaba, intentaba desabrochar o desnudar sin éxito, acariciaba con ordenado mimo las partes de su cuerpo al descubierto. Ella se revolvía, sin saber por qué. No era una resistencia activa, sino un arrastre mental, la demora del no convencimiento íntegro. De pronto se reía sin saber qué hacer, intentando darse tiempo para pensar. Pero cuanto más lo pensaba, una mayor incomodidad se cernía sobre ella. Cuando él había alcanzado su cuello y se lo lamía, y besaba su pequeña oreja, y se la metía en la boca y se la ensalivaba succionando hacia dentro, provocándole un tirante y sostenido latigazo, erizado, como si se la fuera a tragar entera, como si le fuera a sorber el seso, como si estuviera desatascándole el deseo, acumulado por largo tiempo en las cañerías, ella se desatornillaba de él, se arrastraba hacia otro lado, se daba la vuelta y se apartaba, como un niño inquieto que buscase la huida de un abrazo agobiante.

—Te gusta jugar, ¿verdad, princesa? —afirmó él,

alegre y confiado, acercándose de nuevo a ella, atándole los brazos a la nuca para desenlazarle el nudo de los tirantes del vestido.

¿Jugar?, pensó ella, sobresaltada por aquel electrificante manoseo en su cuello. ¿Esto es un juego? Nunca había visto el sexo desde esa perspectiva. Es más, le parecía un trabajo, casi como la prolongación de sus horas en la consulta. Algo que había que hacer bien, metódicamente, para no provocar las quejas o la decepción de sus pacientes. No, aquello no era nunca un juego, era siempre una prueba que había que superar, y en este caso con un hombre al que no conocía de nada, al que pagaba por estar allí.

Él le bajaba ya los tirantes y dejaba al descubierto sus pechos.

Y sin embargo, podía usarlo a su antojo, lo tenía entregado y a su disposición.

—Tienes unos pechos preciosos, y me los voy a comer enteros.

Obviamente, él no estaba enamorado de ella, y al mismo tiempo era imposible que ella lo pudiera enamorar. Sin más futuro que el insignificante margen de unas horas, no tenía sentido embarcarse en aquella aventura. Salvo ofrecerle un placer sexual para el que no estaba entregada, ¿qué le podía enseñar un chico guapo y mimado?

Ajeno a lo que ella rumiaba, él hizo lo que prometía. Acercó su boca a uno de los pezones. Con la punta de la lengua hecha un pincel, empezó a pintárselo de abrasadora saliva. Luego, vuelta su lengua un muelle, la hundía una y otra vez en la oscura cima de la luna de aquel pecho, presionando y soltando, para luego hacerse brocha salvaje, rozando rítmicamente la elástica pulpa, una y otra vez, hasta coagularla y tensarla como él deseaba.

Y después llegó el morder. Le mordió el pezón. Mordió aquel elástico y nervioso caramelo vivo, brillante de babas. Se lo mordió, succionando con los labios y lamiendo con la lengua, engarzando con los dientes la prieta médula de tan excitada carne. Lo que ella sintió entonces es difícil de describir. Junto al placer desconocido, tan intenso como deseable, toda la vida ocultamente anhelado, la inquietud pavorosa de estar haciendo algo censurable, pervertido. Y sobre la marcha decidió que no podía gustarle aquello, pues si lo admitía, tendría que asumir que era una enferma. Y aunque habría querido no despegarse de aquella boca masculina y pedir a gritos más intensidad, más tensión, más estiramiento de su sensibilidad, se despegó y apartó de sí al hombre con gesto de obstinada insumisión.

Y entonces él dijo aquello:

—Déjate hacer.

—Odio esa frase.

—¿Qué?

—Que odio esa frase. Vete, por favor.

Si no hubiese bebido de más durante la cena, no se habría atrevido a tanto.

—¿Y ahora qué he hecho, si puede saberse?

—Nada. No te vayas, lo siento —reculó ella, asustada—. No sé lo que digo.

Él obvió el diálogo. La abrazó por detrás y mordió su cuello. Con los labios le apretaba un pedazo de carne de la nuca; aun sin dientes parecía querer dejarle huella, una marca perdurable más allá de su estancia fugaz. Así, presa, ella claudicó y se hizo un ovillo inerte. La mano divina recorrió su vestido hasta el pespunte del final y, luego, en trayecto inverso, arrastró la seda hasta dejar la braga desnuda. Se metió por allí, forzando la goma, e inició la pesquisa sexual más evidente. Alcanzó la zona sin problemas atravesando el corto vello, amplió la abertura con los dedos, entró en contacto, se aseguró la pieza, frotó el bulto engrosado, lo pellizcó suavemente, lujurioso, mientras con todo su cuerpo, con su torso, con sus hombros y sus brazos de hierro, la rodeaba toda por detrás y le tejía un abrigo de lascivia masculina.

Ella no respiraba. No quería respirar. Algo la obligaba a resistirse a aquel abrazo. Pero su entrepierna, ajena a cualquier razonamiento, parecía desear esa medicina. Se enarcaba su cadera, le fluía cierta calentura mojada que lubricaba el compás de aquellos dedos que entraban y salían de su coño.

—Soy tu esclavo —dijo él—, haz de mí lo que quieras.

¿Mi esclavo?, pensó con horror. ¿Qué sabía ella de la esclavitud de los otros? Sólo conocía la suya propia, y se sintió incapaz de someterlo a semejante sufrimiento. Una vez más rompió los nudos de la atadura y huyó. Algo le impedía dejarse, entregarse. Lo que ella sabía hacer era justo lo contrario, atender a las demandas del deseo ajeno. Pensó en desabrocharle el pantalón, sacársela y chupársela. No soportaba tanta dedicación. El esfuerzo de su acompañante no le reportaba placer. Y, peor aún, la avergonzaba. Al propio tiempo, se llamaba idiota a sí misma. Él estaba a su servicio, podía aprovechar su posición de poder.

Sin embargo, estaba paralizada, inserta en una paradoja de la personalidad. Se exigía actuar y se exigía disfrutar; ser activa y ser pasiva a la vez. No podía soltarse a la deriva del momento, ni podía agarrar. Y la rigidez mental de esa doble exigencia la agarrotaba físicamente, incapaz de vencer aquella absurda contradicción.

Él creyó entender.

—No pienses que estoy actuando. Me gustas. Es así de simple.

—¿Haces esto con todas?

—Me parece que sobra ese comentario. —El tono de su voz ensombreció la habitación—. Creo que mis servicios han acabado por hoy.

Recogió la chaqueta del esmoquin y se dirigió a la puerta, atravesando la penumbra. Ella interceptó su salida y lo retuvo. No quería que se fuera así, pero tampoco se veía con fuerzas para recuperar la noche. No estaba en racha, faltaba el chispazo que la hiciera saltar. Todo se había estropeado, y en parte se alegraba. No podía soportar aquella extraña tensión. Ella no estaba hecha para eso. Había sido un error. Tendría que buscar al tipo de hombre que le iba, con el que sí sabía cómo comportarse. Aunque sólo pensar en esa futura tarea que se imponía a sí misma le produjera, de pronto, un angustioso y extraño desarreglo en el ánimo.

Una última pregunta asomó del cajón de su curiosidad:

—¿Por qué te dedicas a esto?

Él se paró y la miró despacio. Ella enfocó su rostro, como si hasta el momento no hubiera reparado en los matices de su apariencia, en las peculiaridades que hacían de aquel chico él mismo, distinto de otros. Su mirada era honesta y abierta. Y esa mirada no era circunstancial, sino probablemente patrimonio de su carácter. Venía de antes y se perdía en el porvenir. Él debía de ser así. Honesto y abierto. Sin que ella se hubiera percatado en toda la noche de con quién estaba o de cómo miraba.

—Lo hago para pagarme los estudios.

—¿De qué?

—Quiero ser dentista.

No pudo evitarlo. La risa salió como un disparo de sus labios, y se vio súbitamente desmelenada, haciendo aspavientos, gimiendo y retorciéndose, incapaz de frenar el sentimiento de hilaridad que la invadía. Se le enrojeció el rostro, notó calenturas subirle por los brazos, las orejas le ardían, los ojos lagrimeaban, los esfínteres se le distendieron y unas gotas de orina descontroladas mojaron su braga.

De pronto, quería saber más de él. Entre hipido e hipido de risa, se vio reflejada en las aspiraciones de su acompañante. Le pareció grande y ridículo al mismo tiempo. Le pareció tierno y patético. Le pareció divertidísimo que alguien tan guapo y tan elegante quisiera dedicar su vida a hurgar en la boca de los demás. Le pareció que su porvenir era incierto, que estaría expuesto, ahora y siempre, a merced de la exigencia, como lo estaba ella. Le pareció una ironía desternillante aquella coincidencia. Y algo la impresionó, entonces, más todavía, intrigada por una nueva incógnita: ¿cómo era posible que aquel hombre, a pesar de las responsabilidades en que estaba embarcado, no aparentase en modo alguno vocación de abrumado ni exigido? Si antes lo había juzgado equivocadamente, ahora quería a toda costa compartir su truco, aprender de él.

Paró en seco las risotadas al contemplar aquel mohín encantador de desconcierto varonil. Con la boca semiabierta se embobó en sus pasmados ojos azules. Un rato largo, de prospección ocular mutua, intensificó la complicidad. En realidad, la puso de manifiesto, como una crisálida rota deja al fin entrever el palpitante animal que se ha gestado en su interior.

Tan electrizante cruce de miradas le incrementó la temperatura corporal y, paralelamente, avivó el fuego de su imaginación abriendo todo un excitante mundo de posibilidades, con la incontrolable ansiedad de una niña que de pronto ha descubierto lo que es jugar de la mano de un maestro en la materia.

Y entonces ya no quiso evitar ir bajando la vista, en recorrido vertical, por la boca hinchada, entreabierta y húmeda de aquel hombre, por la graciosa nuez, los bellos hombros, el pecho prieto, musculoso y tensado bajo la camisa, desarreglada la pajarita, abiertos los primeros botones, qué pedazo de hombre, las manos quietas y adelantadas hacia ella, y de ahí, desde ese trampolín de la tentación, dejarse caer en picado al precipicio, qué sensación increíble la de dejarse caer... la de entregarse al pálpito de su cuerpo, desatender la cabeza, dejarse caer... hasta prenderse el escáner de su mirada en aquel bulto entre las piernas, bulto sobresaliente, bulto erecto en su honor, bulto salvaje y completo, bulto de vértigo, salvación de la caída, oasis prometido y tan cerca...

Ahora sí tenía ganas de arrancarle a aquel hombre los gemelos, de atornillar la lengua a la suya, de descarrilarle la cremallera del pantalón, de comerse su polla, de lamerle los huevos, de hablarle, inspirada, a su ano, de poner el coño al servicio de la alegre obscenidad. Aquellas fortuitas carcajadas, aparentemente fuera de lugar, lejos de perturbar todavía más la escena, habían entrado en juego como un elixir de amor de eficacia imprevista.

—Venga aquí, doctor —le susurró—. Me dejaré hacer.

La perplejidad de su acompañante no duró ni un segundo. Se esfumó súbitamente, sustituida con soltura por la aceptación feliz del milagro. Aquel hermoso aspirante a dentista soltó la chaqueta y cogió a la mujer por la cintura. La besó en la boca. Ella, con prisas, buscó el camino hacia el dormitorio.

—Hay otra cosa —remoloneó él, misterioso.

Ella lo interrogó con la mirada, cogida por sorpresa.

—Tu aliento huele dulce, femenino. Me pone cachondo —terminó por confesar, coqueto e infantil.

Entonces ella tuvo una idea. Cambió de dirección y acabaron en el despacho, donde guardaba un sillón de operaciones en muy buen estado.

Mientras él exteriorizaba su creciente animalidad hacia ella, y antes de perder el control por completo, ella le bajó los calzoncillos y repasó a toda prisa posibles cuentas pendientes. En ese justo momento se dio cuenta de un triunfo que, por su apariencia de fracaso, no había computado anteriormente: el otro día en la consulta había perdido un buen cliente, era cierto; pero a cambio, se borraría del horizonte, para siempre, su viscosa y exigente saliva. Le dijo adiós mentalmente mientras se subía a la camilla, y a continuación se oyó enunciando la más novedosa frase de su historia:

—Tienes unos dientes perfectos. Muérdeme los pezones, anda...

# REAPRENDIENDO EL ALFABETO

*de*

Cecele

*Para Lucía, que siempre me enseña cosas, con agradecimiento.*

*Y para Gorka, que sabe mucho de alfabetos,*
*por quererla casi tanto como yo.*

Una historia debería comenzar con esperanza. Escribo esta frase en la parte superior izquierda de la primera página de un cuaderno que me he comprado hoy en Tesco, un supermercado que hay en Perth, la pequeña ciudad de Escocia en la que me he instalado este verano. Después, anoto debajo: no se puede crecer sin esperanza. Buscando el modo.

Comienzo a escribirte esta pequeña historia desde uno de los lugares más privilegiados que existen en Perth, un banquito de madera pintada de azul situado, digamos, al borde del agua. Suelo venir días sueltos, siempre que sale el sol, un sol que en este país se agradece como el agua en período de sequía, y desde aquí, desde este banquito situado en un lateral del río que divide en dos esta ciudad, se contempla una vista muy hermosa: el río Tai, grande, vivo, tranquilo y sin embargo peligroso, con una inesperada corriente subterránea, como Hazel, y más allá, la iglesia de St. Matthews, y aún más allá el centro, con sus casas de dos plantas construidas en piedra marrón y gris, terminadas en picudos tejados que dan techo a buhardillas. En el cielo vuela lentamente una que otra nube despistada y algunos patos juegan en el río, se zambullen e intercambian sonidos que no entiendo.

Antes de continuar me gustaría advertirte, ahora por escrito, de algo que ya te comenté cuando me llamaste, cuando sonó mi móvil y supe que eras tú, aunque ni tu número ni tu nombre aparecieran reflejados en la pantalla: no estoy segura de que vaya a servirte lo que te voy a contar. Lo que de verdad importa es que tengas la certeza de que si no te sirven estas páginas que aquí comienzan, si una vez hayas leído este texto que te entregaré impreso sobre folios de papel ecológico, este borrador con el que pretendo contarte mi pequeña historia, si decidieras al fin no incluirla en tu libro, o en tu proyecto de relatos, si lo arrojaras al saco roto de los cuentos olvidados, yo lo entendería perfectamente.

Y es que debes creerme cuando afirmo que no me preocupa lo más mínimo que esto se publique o no, te lo digo de corazón, porque escribirlo creo que ya puede ayudarme a racionalizar las cosas y a no volverme más loca de lo que estoy. ¿Cómo ha podido llegar hasta este agónico y desesperado estado una persona como ella, de normal optimista, vivaz y cantarina?, te preguntarás, pero el problema es que ni yo misma tengo la respuesta, ni he encontrado todavía la salida a este laberinto de serpientes enrolladas en madeja, a este profundo océano de aguas turbias en el que ya llevo nadando más de cinco meses sin encontrar la tierra, los cinco meses que han pasado desde que Hazel me abandonó.

La conocí hace cuatro años, ¿lo recuerdas? Qué tontería, no te puedes acordar de lo que nunca te he contado, si por entonces yo sólo te conocía de verte en algún debate de televisión o en alguna entrevista, y por tus libros, claro. Fue una noche calurosa de agosto. Era lunes y yo, que había gastado todas mis vacaciones en el mes de junio, me hallaba en Madrid. Lo bueno de pasar trabajando los veranos es que se nos exige mucho menos que en cualquier otra época del año: el jefe no suele estar, el nivel de actividad laboral disminuye, la gente está más relajada. Y Madrid se convierte en una ciudad mucho más amable, menos hostil, más tranquila, en la que una puede subir al metro por la mañana sin necesidad de darse de empujones con otros viajeros. Todo este cúmulo de circunstancias, y el hecho de que quienes nos hemos resignado a permanecer en la capital en verano envidiemos de alguna manera a aquellos que están en la playa tostándose, a esos que, tumbados en una de esas hamacas que alquilan los chiringuitos, sorben mojitos en pajita mientras el inmenso mar les sonríe, a esos felices mortales que pueden despertarse después de las doce e irse a leer un libro o a tomar la caña del mediodía mientras juegan al mus, con la única preocupación del inevitable fin del verano, esta envidia carnicera, digo, que circula por el ambiente como un gas contaminante, hace que los cuatro gatos —cada vez somos más, sí, pero lo cierto es que aún no somos demasiados— que resistimos el cruel desafío del calor en Madrid decidamos disfrutar la ciudad más que nunca, saliendo mucho, casi todas las noches, a tomar una caña, a cenar, a ver una película o incluso, por qué no, a bailar a una discoteca hasta las dos o las tres de la madrugada. Al fin y al cabo, nuestro jefe no va a descubrir que nos incorporamos a las diez de la mañana en lugar de a las ocho, puesto que él está de vacaciones en la otra punta del globo o, simplemente, no está.

El día en que conocí a Hazel, como te he dicho ya, era lunes. Yo había quedado con Julio, por entonces mi compañero de piso, quien, por cierto, era un gran admirador de tu obra. Nunca entendí por qué lo hizo, por qué se rindió tan pronto, pues Julio es una de esas personas que deben vivir en Madrid, un chico guapo, inquieto, siempre ávido por conocer a gente nueva, interesante, con cosas que decir. «La única gente que me interesa es la que está loca, la gente que está loca por vivir, loca por hablar, con ganas de todo al mismo tiempo, la gente que nunca bosteza ni habla de lugares comunes, sino que arde, como decía Kerouac. Cecele, ¿no has leído *En el camino?*», me dijo una vez, una de esas noches en las que hablábamos tanto que nos era imposible hilar la conversación, una de tantas noches en las que, justo antes de irse a dormir (él solía acostarse antes que yo), me hacía prometerle que nunca, bajo ningún concepto, le permitiría regresar a Albacete. «Pase lo que pase, Cecele, no me dejes volver.» Julio, un chico deliciosamente soñador, una adorable criatura que finalmente no consiguió resistir en esta jungla de promesas rotas en que, para muchos, llega a convertirse Madrid.

Perdona, cielo, es que me voy por las ramas sin darme cuenta, pero ya sabes que cuando te lo envíe y lo leas, si finalmente decides incluirlo en tu antología, tú puedes eliminar lo que quieras. Como te iba contando, el ya famoso lunes de agosto yo había ido a cenar con Julio a un sitio muy chic que hay por Sol, la Gloria de Montera se llama, un restaurante de diseño bastante económico en el que no permiten hacer reservas. Por lo que si deseas cenar allí te enfrentas a dos opciones: o llegas muy pronto, estilo inglés, o vas en verano, cuando la ciudad está vacía. Estábamos muy contentos aquella noche, y teníamos hambre y ganas de pasarlo bien y de hablar mucho. Cualquier cosa que dijésemos nos parecía importante y urgente, aunque, verdaderamente, la mayoría de ellas fueran naderías. Esta palabrería compartida se fue acrecentando a medida que saboreábamos las botellas de vino tinto, dos, que nos bebimos. Hasta que, terminado el postre, y achispados como estábamos, decidimos continuar la noche bailando. Así fue como echamos a andar por la Gran Vía, dirección Cibeles, abandonados a nuestra suerte o a nuestra intuición, pues, cierto es, aunque ahora me parezca imposible, que por aquella época ninguno de los dos conocía demasiado la zona. A los pocos minutos giramos a la izquierda y continuamos caminando, perdiéndonos entre calles estrechas y cruzadas, repletas de bares, de gente animada, hombres en su mayoría, casi todos con camiseta de tirantes que dejaban al descubierto unos brazos fuertes, trabajados a base de pesas y de fuerza de voluntad, hombres que se besaban, que se cogían de la mano... Hasta que por fin nos dimos cuenta de que estábamos en Chueca.

Y es que, lo aclaro, por entonces yo no sabía nada sobre la homosexualidad de Julio. Lo intuía, por supuesto, pero nunca, jamás, lo habíamos verbalizado, ni él me había contado que se hubiese acostado con un hombre ni había exclamado delante de mí: «¡Qué tío más bueno!», que es lo que suelen decir los gays que he conocido cuando ven a un hombre muy guapo, de la misma manera que un hetero hace lo propio cuando se tropieza con una mujer de bandera.

Finalmente entramos en un bar de copas de ambiente algo sórdido. Nada más cruzar el dintel, el portero me informó de que a las chicas nos estaba terminantemente prohibido descender a la planta baja, donde se suponía que estaban los servicios de los chicos. Julio me explicó, algo escandalizado al subir del baño, que allá abajo proyectaban películas porno en unos televisores que colgaban del techo y que los excusados eran muy, muy oscuros. Varios hombres le miraron fijamente mientras se tocaban el paquete. En la de arriba, en cambio, el local acogía un show de transformistas que, subidos a una tarima, interactuaban con el público al que dedicaban chistes más o menos vulgares y subidos de tono. Aquella noche dos drag queens animaban al respetable, que, por supuesto, estaba constituido por un noventa y nueve por ciento de hombres, algunos de los cuales lanzaban comentarios animosos y algo zafios a las imponentes reinas del escenario, que en realidad eran reyes, pues se trataba de dos hombres altos como árboles disfrazados de mujer, que lo mismo cantaban una canción por todos conocida que contaban un chiste o requerían la colaboración de alguien del público. Así fue cuando, de repente, repararon en una chica que permanecía semiescondida entre la turbamulta masculina. Era una mujer de belleza evidente, melena larga y pelirroja, enormes ojos claros enmarcados por unas pestañas tan largas que parecían postizas, y una piel blanquísima, casi transparente, salpicada de pecas. Vestía con gracia, recuerdo perfectamente un minivestido de colorines y unas sandalias de tacón muy alto que no lo parecían en comparación con los treinta centímetros de las plataformas sobre las que se encaramaban los transformistas. Probablemente las reinas pensaron que con una extranjera tendrían el show asegurado, puesto que sería fácil reírse de su acento o tomarle el pelo, y le pidieron que subiera con ellas a lo alto de la tarima.

—¿Cómo te llamas, encanto?

—Hazel —dijo ella, sin dejar de sonreír.

—Huy, Hazel, mírala, una extranjera en LL, una mujer que seguro que sabe mamarla como nadie, ¿verdad, Hazel? —le dijo una de las drag, y luego continuó en un tono que a todo el mundo hacía mucha gracia pero que a mí, verdaderamente, me pareció de muy mal gusto, pues en el fondo, creo, se estaban riendo *de* ella, no *con* ella.

La chica, en cambio, les siguió airosamente el juego porque, aunque no estuvo especialmente divertida, actuó con una naturalidad tan impresionante, burló los chistes más soeces de forma tan inteligente, contestó a las preguntas de manera tan espontánea que, finalmente, la sala entera, yo incluida, acabó aplaudiendo y riendo a mandíbula batiente. Muchos de los allí presentes, o al menos Julio y yo, pensamos que la joven de tez blanca en realidad estaba contratada por la sala y que, por tanto, no se trataba de una ocasional participante que se encontrara en LL de casualidad.

La escena me sorprendió tanto que, terminado ya el espectáculo, tuve claro que quería felicitarla y hacerle alguna pregunta (periodista que es una), por lo que agarré a Julio del brazo y avanzamos hacia su encuentro, apartando como pudimos a la multitud del bar.

—Estaba todo preparado, ¿no? —le pregunté, dando por hecho que sabía la respuesta, y entonces, estando tan cerca de ella, me fijé en que sus ojos, azules y profundos como el mar, enormes y abiertos como platos, estaban salpicados de manchas amarillas que parecían pececitos.

—¡Oh!, ¿cómo dices? ¿Preparado el qué? ¿Por qué? Lo siento, no entiendo bien —respondió, sorprendida pero amable.

—Porque lo has hecho muy bien —se me adelantó Julio—. Ha parecido que eras una gran actriz, protagonista de una obra de teatro cuyo guión hubieses memorizado antes de subir. Oye, ¿nos presentas a tu amigo?, porque él es tu amigo, ¿verdad?

Su amigo era rubio, fuerte, muy joven, un chico cuya radiante sonrisa dejaba ver una hilera de dientes blancos, perfectos, que centelleaba en la oscuridad del bar.

—Vengo de los Estados Unidos, de Utah, concretamente, como Hazel —dijo, mirando a su amiga e intercambiando con ella un gesto cómplice casi imperceptible—. Los dos llegamos a España hace dos meses para perfeccionar nuestro español. —Su nombre era Alexander, pero, según nos contó, todo el mundo le llamaba Alex.

Compartimos una cerveza que acababa de pedir Julio y luego nos fuimos al Why Not, que era, según ellos (y tiene gracia que ellos, que sólo llevaban dos meses en España, conocieran mejor los bares que nosotros), el único bar de todo Chueca en el que podríamos bailar hasta pasadas las seis de la mañana. Porque, evidentemente, no podíamos regresar a casa tan pronto, ya que, aunque tuviésemos que madrugar al día siguiente, nos parecía importante a Julio y a mí seguir bailando y charlando con Hazel y con Alex. Y el Why Not nos gustó. Y allí bailamos durante horas, y seguimos charlando y bebiendo y riendo hasta que Alex y Julio comenzaron a besarse. Sólo entonces Hazel acercó su cuerpo al mío, y me puse tan nerviosa que tuve que dejar de bailar.

Esa noche no ocurrió nada más entre nosotras, pero yo ya quedé fascinada por ella, y por eso, cuando el despertador sonó a las diez de la mañana, tuve que ir corriendo al cuarto de Julio para pedirle que me confirmase que Hazel existía, que era una mujer real y no soñada, pues necesitaba escuchar de su boca que la noche de la víspera habíamos estado en LL primero y en Why Not después, con dos americanos, Hazel y Alex, y ansiaba esa confirmación porque lo que sentía en aquel momento era algo parecido a una alucinación, como si al levantarme de la cama y al pisar el suelo, sin comprender por qué, la realidad hubiese sido cambiada por la fantasía de una película. Y, aunque Julio no me pudo confirmar nada porque ya estaba trabajando fuera de casa, al momento acepté que sí, que Hazel existía, aunque fuese un milagro.

Hazel y Alex, qué bien nos sonaron a Julio y a mí esos dos nombres.

Ese martes no pude ir a trabajar. Luego, tres días más tarde, setenta y dos horas que a mí se me hicieron larguísimas, llegó el viernes y Julio y yo nos subimos a un coche alquilado en busca de Hazel y Alex para ir a Salamanca.

—¿Acudirán? ¿Tú crees que estarán? ¿Tú crees? —me preguntaba Julio cada cinco minutos. Nosotros teníamos previsto desde hacía tiempo ese viaje de fin de semana, y según Julio me contó (yo no lo recordaba), estando ya en el Why Not, ni cortos ni perezosos les propusimos a los americanos de Utah que nos acompañaran, y ellos nos dijeron que sí con la normalidad del que acepta una escapada junto a dos amigos de toda la vida. Reservamos dos habitaciones en un céntrico hostal salmantino, llenamos el maletero del Renault alquilado de alimentos comprados en el PLUS de debajo de casa y nos dirigimos hasta la salida de metro en la que, efectivamente, estaban esperando con su mejor sonrisa Alex y Hazel.

—Entonces, vamos a un lago, ¿no? He traído el biquini —preguntó ella, demostrando, puesto que no sabía bien cuál era nuestro destino, que era una aventurera nata. Y Alex y yo, al escucharla, no pudimos evitar echarnos a reír.

Alcanzamos Salamanca a las siete de la tarde, aproximadamente, y llegamos a la pensión media hora después. Mecánicamente dimos por hecho el reparto de habitaciones, y con toda la naturalidad del mundo Julio y Alex se apropiaron de la 135, cediéndonos a nosotras la 136.

Tras tomar un par de cañas con sus respectivas tapas en una taberna cercana a la Plaza Mayor, Hazel y yo explicamos al unísono, como si nos hubiésemos puesto de acuerdo previamente, que estábamos muy cansadas y que preferíamos regresar al hostal. Julio, tras rozar mi mano unos segundos en un inequívoco gesto de aprobación y complicidad, dijo que por él continuaba de bares. El gesto de Alex daba a entender que él seguiría a Julio de bares y al fin del mundo si hiciera falta.

Nunca podré olvidar esa noche de viernes.

Aquella noche duró tanto como toda una vida.

Aquella noche me juré a mí misma que nunca más volvería a acostarme con un hombre.

Aquella noche tuve un orgasmo por primera vez. Supe lo que iba a suceder desde la primera tímida mirada que compartimos en la oscuridad de la habitación, ya antes de que se acercase a mí y acariciase mis mejillas y mi pelo. Supe dónde acabaríamos desde que me ofreció sus labios, sus besos, tímidos y torpes al principio, profundos y húmedos después, besos que ya no cesaron en toda la noche. Porque Hazel me besó, me besó mucho, más de lo que nadie me había besado antes, en las palmas de las manos, en los nudillos, en el nacimiento de la frente, en los dedos de los pies, en la nariz y en los párpados, en las orejas, en las rodillas y en los muslos y en los gemelos, en las axilas y en la nuca, en el ombligo y en la espalda, en mis pechos y en mis pezones excitados, en el clítoris y en el perineo, en el ano... por todo el cuerpo me besó Hazel, hasta que me propuso un juego.

—Voy a jugar al abecedario —me dijo—. Voy a dibujarte el alfabeto entero con la lengua en el clítoris.

Aún no habíamos llegado a la hache cuando sentí que dentro de mí ascendía una corriente eléctrica que explotaba en un cortocircuito, hasta que ya no pude más y creí que me iba a morir, y luego la abracé mucho, mucho, en un desesperado intento de que ella compartiera lo que yo sentía. Y luego empezamos de nuevo, y después otra vez, durante horas, deletreando todo el alfabeto, palabras polisílabas, agudas, llanas, graves, esdrújulas y sobreesdrújulas, hasta que nos quedamos dormidas entrelazadas entre las sábanas, después de habernos escrito con saliva versos de amor la una en el cuerpo de la otra. Y después vinieron muchas otras noches más, y muchos días, y el sexo con ella era tan sutil y tan extraordinario, éramos tan libres y tan osadas, y llegamos a disfrutar tanto de nuestros cuerpos, nos deslizábamos tan bien hacia arriba y hacia abajo que ahora me pregunto cómo era posible que no supiera ya antes de conocerla que en realidad me gustaban las mujeres, que lo que yo sentía por los hombres no era deseo sexual, ni mucho menos, sino que me enrollaba con ellos porque no me había planteado otra posibilidad, porque mis amigas no hacían otra cosa desde que éramos adolescentes y comenzamos a salir los viernes por la noche a ligar, a ir detrás de ellos como perritos extraviados.

Y así fue como después de esa primera noche en Salamanca, que para mí duró como una vida entera, ella y yo empezamos a ir juntas a todas partes y construimos un lazo sólido que nos unía, un amor tranquilo y apasionado, loco y lúcido, seguro e incierto, un amor que fue el que me salvó de la condena a la vida inútil y vacía que hasta entonces había vivido: trabajo y esporádicos encuentros con hombres que en realidad ni siquiera me gustaban. Y por eso, por todo lo que nos queríamos, cuando llegó el final del verano y con él el que se suponía que sería el final de nuestra historia, Hazel decidió no regresar a Utah junto a Alex, quien por supuesto se despidió de Julio prometiendo volver a verle, cosa que nunca ocurrió. Y pocos meses después Julio, harto de su trabajo submileurista, se fue a Albacete a hacerse cargo del taller de su padre, donde entretenía las horas embelesado en el torso desnudo y grasiento de los mecánicos.

Hazel y yo nos deseábamos tanto que hicimos el amor al menos una vez al día a lo largo de los cuatro años que pasamos juntas. Yo hasta entonces había sido de la opinión, ingenua de mí, de que el sexo no era para tanto o de que, cuando menos, estaba sobrevalorado. Hazel era, eso sí, más ardiente que yo, un volcán por el que me dejaba arrastrar encantada. Muchos días, por la mañana temprano, en cuanto me desperezaba un poco y comenzaba a abrir tímidamente un ojo, ella se aproximaba despacio, acercaba su cuerpo desnudo hacia el mío, me besaba los labios con la suavidad con la que se besa a un bebé y, mientras los primeros destellos de la claridad de la mañana iluminaban nuestros cuerpos, comenzaba a palpar, cuidadosamente, mis piernas, mi vientre, mi culo, mi sexo, y luego continuaba explorándome el cuerpo a besos, recorriendo caminos húmedos por mis pechos, mi ombligo, mi monte de Venus, hasta que alcanzaba mis labios vaginales y mi clítoris, y yo iba excitándome cada vez más, abriéndome de piernas cada vez más, extendiéndolas cada vez más, alcanzando niveles de excitación que hoy me parecen casi imposibles, hasta que me corría, siempre me corría, no hubo un solo encuentro con ella que no culminara en un orgasmo intensísimo, o en varios. Siempre que teníamos sexo por las mañanas yo permanecía pasiva, y ella disfrutaba dándome placer tanto como yo disfrutaba dándoselo a ella por las noches, noches en las que la follaba despacio con mis dedos y mi lengua, escuchando sus grititos ahogados, lamiéndola a veces con suavidad, a veces con furia, hasta que, finalmente, llegaba al clímax y, literalmente, se revolcaba de placer, y entonces sentía cómo el túnel de su vagina se expandía y se contraía apretándome los dedos.

A veces ella se tumbaba boca arriba en la cama y yo me colocaba sobre ella, desnudas las dos, por supuesto, muy, muy juntos nuestros cuerpos, y entonces yo comenzaba a masturbarme boca abajo, con la posición adecuada y perfecta, con una compenetración tan perfecta que ella se excitaba sintiendo mi excitación y, finalmente, llegábamos al orgasmo al mismo tiempo. Aprendí así de la complicidad y la sutileza que puede llegar a existir entre dos mujeres, ese de tú a tú que no se encuentra entre un hombre y una mujer, pues las diferencias físicas evidentes siempre acaban entrometiéndose de una u otra forma. Por eso Hazel solía decirme:

—No conozco a ninguna pareja de lesbianas que no lleguen al orgasmo, pero ¿cuántas chicas conoces que no se corren con sus parejas masculinas?

Y así fue como los días, las semanas, los meses junto a Hazel fueron superponiéndose como felices peldaños por los que subíamos hacia una cada vez más alta montaña imaginaria.

El resto supongo que ya lo sabes. Me abandonó. Nos gustábamos, nos queríamos mucho, nos divertíamos juntas haciendo cualquier cosa, pero me abandonó un día de primavera de hace cinco meses, el mismo día en que, así de simple, desapareció sin decir nada, sin ni siquiera llevarse con ella la mayoría de sus cosas. Y no, la noche anterior yo no había intuido que se marcharía, ni había sentido un abrazo más fuerte de lo normal después de hacer el amor por última vez, ni una frase descontextualizada que me hubiera dado que pensar, ni un sutil adiós cifrado en la última mirada. Siempre supe que se iría, pero no conseguí ver en qué momento. Porque lo cierto es que llevaba tiempo temiéndolo, veía que sucedería lo inevitable, pero nunca pensé que pudiera cortar lo nuestro de una manera tan abrupta, tan insensible incluso. Y aunque estoy convencida de que lloró, aunque estoy segura de que ella también ha sufrido mucho, yo no había intuido nada la noche anterior porque Hazel es la única persona que he conocido con unos ojos capaces de filtrar el dolor.

Contra Utah yo no pude luchar, no pude cambiar las calles de Madrid y hacerlas más amplias, ni inventarme más árboles ni crear lagos que aquí no existen, ni conseguir que las casas sean más bajas o que la gente grite menos para reducir la contaminación acústica. Y porque la conocía muy bien también sabía que soportaba mal la distancia con su familia, con sus amigos, con su perro, con todos aquellos seres a los que la unían lazos de cariño cuyos nudos el tiempo había ido cerrando. Yo sentía que mi responsabilidad era muy grande, demasiado grande quizá, porque si ella vivía en Madrid no era porque le encantara su trabajo, un curro de profesora de inglés para altos ejecutivos que había encontrado en una multinacional. Si ella vivía en Madrid era por mí y sólo por mí, me lo dijo y me lo repitió muchas veces y muchas, demasiadas veces, cuando hablaba con nostalgia de su casa, de su madre, de su perro, de su antigua vida. Ese saberla infeliz, ese tener muy claro que lo que yo le daba no podía colmarla, lo sentía yo como un fardo muy pesado que cargaba sobre mis hombros, cuyo peso, siempre presente, me recordaba que cualquier día, en cualquier momento, Hazel podía esfumarse, igual que desaparece una persona enferma a la que quieres mucho y que el día menos pensado se muere. Porque Hazel vive, por supuesto, pero ya no vive en mi casa ni en ella queda rastro alguno de su presencia, y en ese sentido para mí es como una muerte.

Cuando esa tarde regresé a casa del trabajo y vi sobre la mesa del salón su móvil español apagado y me di cuenta de que en el baño no estaban su desodorante ni su colonia ni su cepillo de dientes, corrí hacia el dormitorio, abrí el armario y no estaban sus faldas, ni sus camisetas, ni sus zapatos, ni sus bolsos. Y entonces lo comprendí. Que Hazel se había marchado y que no había tenido valor suficiente para darme una explicación. Y al calibrar la dimensión exacta de aquella revelación, se me dobló el cuerpo en sollozos, y entendí por primera vez el significado de la expresión «deshacerse en lágrimas». Me retorcía de impotencia y de desesperación, de esa desesperación incrédula, irracional, que provoca la angustia de tener, de repente, la certeza de que ya no verás nunca más a la persona a la que amas. Ni siquiera tuve valor entonces para leer la carta que había dejado sobre la cama. De hecho, tardé días en leerla, y no me sorprendió nada el contenido. No me decía nada que no me hubiera dicho ya en los últimos meses.

Tanto se ha retrasado tu proyecto que me veo obligada a actualizar estos escritos que, según parece, sí vais a publicar. Ha transcurrido exactamente un año desde que comencé a contarte cómo conocí a Hazel, y te escribo desde el mismo banquito pintado de azul. He vuelto a Perth, como sabes. Estudio inglés en la misma academia, y me alojo en la misma casa. Todo parece lo mismo, pero es completamente diferente. Cuando la vi por primera vez tenía yo veintitrés años, pero me sentía muy mayor, casi anciana, sin ilusiones. Mi vida era aburrida y triste. Hazel la iluminó cuatro años, y luego pensé que mi vida se volvía a apagar. Yo no sé crecer sin esperanza, me siento incapaz de mirar hacia el futuro y no asustarme si no tengo la seguridad de que habrá *algo* en el paso de los días, sucesos no previstos que harán que la lucha contra la batalla diaria que es la vida tenga cierto sentido. Hace un año yo llevaba el pelo normalmente enredado, mal peinado, siempre recogido con un pasador, y jamás me maquillaba. La mujer que hoy te escribe, sin embargo, lleva el pelo limpio, bien cortado e impecablemente cepillado, los labios pintados y las mejillas animadas con un toque de colorete. Escribió Esther Tusquets en *El mismo mar de todos los veranos* que es definitivamente falso que el tiempo ayude a resolver el sufrimiento. Los únicos daños verdaderos son siempre intemporales, añadió, pero yo creo que no es verdad.

Porque todavía no ha llegado un solo día sin que el nombre de Hazel y su imagen ronden por mi cabeza, su boca pequeña e imperfecta con el labio superior ligeramente más gordo que el inferior, los dedos de sus pies, finísimos y torpes, el azul de sus enormes y penetrantes ojos, la curva purísima de su vientre, su nariz larga y recta, sus cabellos de hoguera, y su ombligo, el ombligo más redondo y perfecto que he visto en mi vida. Un cuerpo que había besado tanto, una imagen que había contemplado tantas horas en silencio y embeleso que me la había aprendido de memoria. Todavía no ha llegado el día en que no me acuerde de su sonrisa, de cómo me hablaba o de cómo me devolvía una de esas miradas capaces de filtrar el dolor. Tampoco ha llegado el día en que no eche de menos volver a sentir la tibieza de su cuerpo entre las sábanas. Pero ya no soy la chica de ayer, el alma en pena de hace un año, y si he regresado este verano a Perth ha sido por la necesidad de seguir batallando con el inglés y no huyendo de mí misma y de mis circunstancias, ni impulsada por la angustia del abandono que sentía el año pasado por estas mismas fechas. Y si ahora miro una de las muchas fotos que le hice a Hazel posando sonriente —porque siempre sonreía cuando le sacaban fotos, no conservo una sola imagen en la que no sonría—, logro sonreír con ella sin que me ahoguen los recuerdos. Alguna vez, incluso, me he masturbado mirando sus fotos, recordando sus besos y sus abecedarios de saliva y esmegma. Ahora puedo pensar en otras cosas, puedo disfrutar de una película o un libro sin hacer continuos e ingentes esfuerzos por concentrarme, ahora puedo escuchar a un amigo sin pensar en ella, puedo incluso divertirme y hablar de los años compartidos con Hazel sin deshacerme en lágrimas.

Y es ahora cuando sé mejor que nunca que aquella noche en la que encontré con Julio el LL supuso la línea divisoria entre el antes y el después, el inicio de un camino que me ha llevado a un cambio tan grande en mí, tan importante que ya no soy la misma, o que en todo caso soy más real y auténtica, y ahora y no hace un año es cuando sé que mis días sumarán en lugar de restar, porque gracias a Hazel, esa chica americana que desapareció antes de tiempo porque le costaba mucho esfuerzo vivir en Madrid, siento que el mundo, un universo nuevo y gigante, se abre delante de mí. Y eso se lo debo.

Por cierto, el otro día recibí por sorpresa un correo electrónico de Julio. Decía: «Echo tanto de menos Madrid que a veces me duele. Regreso. Nos vemos en septiembre. Y esta vez será para siempre».

# EL GABINETE DE SADIANA

*de*

Silvia Uslé

Hoy ha sido un día horrible en la agencia. Después de nueve meses en prácticas el departamento de recursos humanos me ha llamado a última hora para decirme que «hasta mayo no saben si me contratan o no». Estamos en enero. Eso quiere decir cuatro meses más sin cobrar un euro. A veces no sé para qué rayos me saqué el título universitario. Me lo dieron un día como hoy hace dos años. Recuerdo que me levanté, hice la maleta y cambié el hogar familiar por una diminuta buhardilla en el centro de Madrid. A continuación realizaría todo tipo de trabajillos con el fin de subsistir: desde camarera, repartidora, hasta operadora de teléfono erótico. Ojo, que mi meta laboral no es verme sumergida en una cadena de empleos basura. Mi meta es ser creativa publicitaria, idear campañas, ganar premios internacionales y viajar. Eso es lo que quiero. Y lo voy a conseguir. Una vez que descubran mi talento todo vendrá rodado. «Es cuestión de paciencia», me recuerdo a veces.

Trabajar gratis en publicidad no da de comer y eso lo sabe cualquiera. Para «sacarme las castañas del fuego» tengo el gabinete de la dómina Sadiana. «Dominatriz profesional» es mi otra profesión: un empleo a tiempo parcial de cuatro tardes a la semana que me da para vivir semiholgadamente. Podría dejarlo y volver a casa de mi familia mientras ejerzo de publicista gratis, pero no lo hago porque me llevo mal con ella. Además el trabajo de ama dominante me gusta.

Esquivando ejecutivos, secretarias, prostitutas y semáforos en rojo camino a paso rápido por Príncipe de Vergara porque Sadiana me ha llamado al móvil esta mañana para decirme que teníamos una sesión de voyeurismo a las 17.30, «que por favor no llegara tarde». Son las 17.50 y me va a matar. Sólo espero que no hayamos perdido al cliente por mi culpa.

Cuando me metí en esto pensé que sería dinero fácil y rápido. Por desgracia sólo acerté en lo segundo. La verdad es que resultó ser un trabajo mucho más duro de lo que suponía. Un día me encontré un anuncio en la sección de relax del periódico que decía: «Ama dominante busca ayudanta», y ahí me presenté. Con un par. Obvio decir que lo hice porque quise. Nadie me obligó. Tengo una vida sexual bastante edulcorada y quería experimentar. Así mato dos pájaros de un tiro: actúo mis fantasías sadomasoquistas y de paso gano dinero. Además en el gabinete de Sadiana no hay intercambio sexual (en el sentido bíblico de la palabra, claro está), pues toda interacción con los clientes son puros juegos de rol en los que ni siquiera me quito la ropa.

Trabajo con el nombre «Ama Judith». Lo elegí en honor a la baby sitter que me cuidaba de pequeña: una barcelonesa que me maltrató física y emocionalmente toda mi infancia. Con larga melena, gesto agrio, la catalana trabajaba cuidando niños para pagarse los estudios universitarios. Judith me odiaba y cuando mi madre no estaba (que solía ser casi siempre) nunca dudaba en recordármelo: «¡¡Pero qué ganas tengo de sacarme el título para perderte de vista de una puta vez, joder!!». Basándome en mi antigua niñera he decidido crear un personaje terriblemente cruel y sacarle partido económico mientras me abro paso en el campo de la publicidad.

Aprender este oficio me llevó seis meses. Durante éstos Sadiana me introdujo en sus sesiones como ayudanta. A veces también hice de sumisa. «Para saber lo que realmente siente un esclavo tienes que haber sido uno tú primero!» Eso y «¡Qué ganas tengo de encontrar un masoquista rico que me retire de una puta vez!» son dos cosas que repite constantemente. Parece un disco rayado. El problema es que con cincuenta tacos, doce dioptrías y diez kilos de más dudo que la retire nadie.

A las 18.13 cruzo el portal de Orense 49 y saludo al portero, que lee el *Marca* con un Ducados colgándole del labio. Éste desplaza el periódico hacia un lado y me dice «Buenas tardes» con la mayor desgana del mundo. Aprieto el botón del ascensor y pienso que se me va a caer el pelo. Una vez delante del séptimo B meto la llave en la cerradura y abro la puerta esperando oír los gritos de mi jefa, pero lo único que oigo es la melodía de un teléfono móvil mezclada con el «rus rus» de un cepillo de raíces frotando el suelo. Entro en el salón y diviso el dichoso Motorola. Debajo hay un abrigo verde loden, una maleta de ejecutivo, unos pantalones grises, una camisa blanca y una corbata impecablemente doblados. El montón de ropa pertenece a Agustín: nuestro fiel esclavo doméstico que de cuclillas cepilla concienzudamente el suelo de la terraza con agua y Mistol. Es enero, hace un frío horroroso y está completamente desnudo. Los adolescentes del apartamento de enfrente le señalan desde una ventana porque nuestro balcón da a un claustrofóbico patio interior en el que se ve y oye todo. Agustín limpia sin inmutarse porque ser descubierto en semejante situación es parte del juego humillatorio y eso le gusta. Despacito deslizo la puerta de cristal y haciendo caso omiso de los chavales le grito:

—¡Agustíííín! Te está sonando el móvil.

—¡Ya! Déjalo sonar, que debe de ser mi mujer.

—Pero ¿no lo vas a coger, hombre?

—No. Ya la llamaré después.

—¡Agustíííín!

—¿Sí?

—¿Has visto a Sadiana?

—Salió a hacer la compra. Me dijo que te fueras arreglando para una sesión de voyeurismo a las seis.

—¡Oído cocina!

Y vuelvo a cerrarla de un golpetazo para evitar una bocanada de aire frío.

Agustín es el esclavo personal de Sadiana desde hace muchos años a la par que un alto ejecutivo de Telefónica con el que solemos practicar los instrumentos nuevos.

No le cobramos nada porque nos ha hecho un montón de favores. De hecho, gracias a él tenemos identificador de llamadas y ADSL gratis. Eso y que es de absoluta confianza hace que le dejemos campar por el gabinete a sus anchas.

Tras la conversación entro en el gabinete, abro el armario y me pongo a buscar el uniforme de colegiala para la sesión de voyeurismo: una camisa blanca y una faldita escocesa muy corta que no acabo de encontrar porque están debajo de la silla de montar a caballo. Aquí tenemos trajes para todas las sesiones de rol imaginables: policía, enfermera, superheroína, militar, secretaria, etcétera. «Cuéntenos su fantasía sadomasoquista, que nosotras se la representaremos por el módico precio de...» es nuestro lema.

Las sesiones de voyeurismo son una invención de mi jefa, que tiene mucho ojo para los negocios.

Nos anunciamos en la sección de relax bajo el título de «Ama Sadiana y su esclava: sesiones de voyeurismo. Zona Orense. 500 euros». El anuncio ha tenido mucho éxito y el teléfono no para de sonar. Se llaman «sesiones de voyeurismo» porque el cliente se limita a mirar (obviamente y considerando que las escenificamos única y exclusivamente para él, éstas tienen de «voyeuristas» lo que yo de lagarterana, pero ésa es otra historia). Durante este juego de rol en concreto ella hace de dominanta y yo, de sumisa. Conoce mis límites de dolor y no los rebasa nunca (sólo cuando tiene un mal día o está enfadada conmigo). Nuestra palabra clave es «blue»; cuando yo la pronuncio ella para. Así de simple.

A las 6.45 mi «castigadora» entra por la puerta cargada con bolsas del súper y cara de malas pulgas.

—Anda, guapa, que menos mal que el cliente llamó y cambió la sesión para las seis, ¿eh? —me dice mientras suelta la compra encima de la mesa.

—Lo siento, Sadiana, pero el departamento de recursos humanos me citó a última hora para hablar de lo de mi contrato...

—Vístete rápido, que ya te echaré la bronca más tarde. Ahora no tengo tiempo.

—¿Vamos a hacer el rol de profesora-alumna? —le pregunto.

—Efectivamente. Ponte lo que tú ya sabes —responde con voz estresada.

Y rápidamente procedo a desnudarme mientras ella hace lo mismo.

A las seis en punto suena el portero automático y mi jefa se dirige a la puerta. Sentada en la cocina observo a los adolescentes del patio arrojarle otra lata de cerveza vacía a Agustín. Deben de tener alguna fiesta porque han puesto las luces rojas y se oye muchísimo barullo. Eso, unido al montón de voces que tararean «la raja de tu falda», me hace pensar que sus padres les han vuelto a dejar solos el fin de semana. «Maldita adolescencia», pienso para mis adentros.

Vestida con un ridículo uniforme de colegiala dos tallas más pequeño y sin ropa interior enciendo un cigarrillo mientras admiro el bonito cuerpo desnudo de nuestro esclavo doméstico esculpido a base de horas en el gimnasio. Agustín es un loco del fitness que acude religiosamente al centro Palestra debajo de su oficina. Todos los días, a la hora de la comida, queda con su entrenador personal para un rutinario entrenamiento a base de pesas y aparatos. Exhalando tranquilamente el humo del Marlboro light disfruto del espectáculo a través del enorme cristal corredizo que separa la cocina de la terraza. Entonces suena el timbre. Al cliente no le veo entrar, sólo dos sombras oscuras detrás de la mampara china que se intercambian un escueto «buenas tardes» mientras se adentran en el gabinete. Al cabo de diez minutos oigo la voz dominante de Sadiana:

—Alumna Judith, ¡te ordeno que vengas a mi despacho!

Entro por la puerta y veo a mi jefa sentada en una silla con un largo y ajustadísimo traje negro de látex. Lleva el pelo recogido en un moño, unos tacones de aguja muy altos, unas gafas de concha a lo azafata del *Un, dos, tres* y una regla de madera en la mano.

—Hola, profesora. ¿Me llamaba? —le pregunto.

—Judith, ¡te he vuelto a pillar enseñándole las bragas a los chicos en el patio!

—Pero, señorita...

—De peros NADA. ¡¡¡ERES UNA COCHINA!!! ESO NO SE HACE. ¡¡¡¡Te lo he dicho mil veces!!!!

Junto las manos detrás de la espalda y bajo la cabeza mirando al suelo.

—Lo siento, fue un accidente... —respondo tímidamente mientras pienso en la gran actriz que el mundo se perdió el día que decidí hacerme publicista. A nuestro cliente apenas le veo porque lleva un traje de chaqueta azul oscuro y está sentado en la esquina. Sólo sé que es rubio, tiene los ojos azules y sonríe mucho. La luz de la bombilla le ilumina parte del rostro y me doy cuenta de que es muy guapo. Además su cara me suena muchísimo. Creo que le he visto en algún programa de televisión, pero no recuerdo en cuál. Trato de evitar su mirada con el fin de no perder la concentración en el juego de rol.

—¡¡¡O SEA, QUE ENCIMA DE COCHINA... MENTIROSA!!! —me grita mi jefa indignada.

—Perdón, no lo volveré a hacer. ¡¡¡Lo prometooooooo!!! —le suplico con tono dramático.

—Ahora mismo te ordeno que te tumbes encima de mis rodillas. —Y hago lo que me dice mientras ella con expresión de triunfo me levanta la faldita escocesa—. ¡¡Será COCHINA LA TÍA!! ¡¡¡Pero si NO LLEVA BRAGAS!!!

El tipo se ríe.

—Ay, profe... es que se me olvidó ponérmelas esta mañana porque llegaba tarde a clase. —Entonces siento el primer reglazo en el culo. ¡ZAS! Y chillo en voz alta—: ¡AAAAYYYY, SEÑO, NO ME PEGUE, POR FAVOOOOR!

—¿Que no te pegue? ¡¡¡Ahora como castigo te voy a dar veinte reglazos!!!

—¡¡¡¡NOOOOOOO!!!! —le contesto procurando hacer el mayor teatro posible.

Y comienza la cuenta atrás: ¡Veinte! ¡ZAS! ¡Diecinueve! ¡ZAS! ¡Dieciocho! ¡ZAS! ¡Diecisiete!... Así hasta llegar a cero. Sadiana va alternando los reglazos en cada glúteo preocupándose de no pegar siempre en el mismo. Mi jefa se conoce todos los trucos para no dejar marcas y éste es uno de ellos.

Miro al tipo de la esquina, que se ha bajado la bragueta y exhibe una polla descomunal. Trato de pensar en qué programa lo he visto. ¡Ya lo sé! ¡Es el famoso HOMBRE DEL TIEMPO! ¡El rubio ese tan guapo que sale en el Telediario de las ocho! Menuda sorpresa. Esto sí que no me lo esperaba. El problema es que el culo me arde. Mi jefa se está explayando conmigo por llegar tarde. Cuando está enfadada me pega más de la cuenta. Estoy a punto de soltar la palabra clave, pero me muerdo la lengua por orgullo. No le voy a dar esa satisfacción. No, señora.

Mi cuerpo está dolorido, pero mi alma se acerca a un extraño estado de paz interior con cada golpe.

Oigo la risa cruel de Sadiana encima de mí dirigiéndose a nuestro cliente:

—JA, JA, JA. Mírale el culo. ¡¡LO TIENE COMPLETAMENTE ROJO!! JUA, JUA, JUA. —Mi jefa tiene la maldita manía de abrillantar sus trajes de látex con silicona antes de cada sesión porque dice que lucen más bonitos. Le tengo avisado que no lo haga, pero nunca me hace caso. Entre azote y azote realizo auténticos esfuerzos por no escurrirme de sus rodillas y darme un golpetazo contra el suelo haciendo el más completo ridículo. Mi falsa profesora coge una caja de plástico roja y saca un vibrador de goma con forma de polla. Tras colocarle las pilas lo enciende y al compás de un silencioso zumbido me lo pasa despacito por la entrepierna. Una sensación de hormigueo me recorre el cuerpo—. Esto te enseñará a no subirte la falda delante de los chicos, so zorra —dice en voz baja mientras me pone lubricante en el coño. Acto seguido agarra el enorme falo por los huevos y me lo introduce al mismo tiempo que se ríe en voz alta—. JA, JA, JA. TE GUSTA, ¿EH, putita?

Y yo la miento:

—NOOO, POR FAVOOOR... ¡¡¡POR AHÍÍÍÍ NOOOOO!!!... ¡¡QUE SOY VIRGEN!! ¡¡AHHHHH!!

Pero es mentira; claro que me gusta. De hecho, estoy haciendo lo posible por no correrme. A duras penas consigo girar la cabeza y veo al hombre del tiempo sentado en la esquina. Tiene las piernas separadas y se manosea su gigantesca polla con la mano derecha. Sadiana me mete lentamente el vibrador mientras emito unos gemidos que dejarían a cualquier actriz porno a la altura del betún. Al cabo de un minuto veo al tipo cerrar los ojos, hacer una extraña mueca y eyacular tras un sonoro orgasmo.

Una vez acabada la sesión me salgo del cuarto. El apuesto rubio me guiña un ojo y se sube la bragueta. Sadiana se queda hablando con él unos minutos mientras se despiden en el pasillo. Al hombre del tiempo le ha gustado el show y se va contento. Mi jefa cuenta el fajo de billetes y lo mete dentro de la caja fuerte.

—Oye, tía, procura no venir tarde la próxima vez —me dice mientras se quita el traje de látex.

—Ya, pero es que me liaron en recursos humanos con lo del contrato...

—Mira, tía, ése no es mi problema. ¡Tu horario aquí empieza a las cinco y media, no a las seis y cuarto!

—Lo siento. Procuraré que no vuelva a pasar. Por cierto, ¿has reconocido al cliente?

—¡¡Sí!! ¡No te he querido decir nada porque quería que te pegaras una sorpresa! —me dice mientras se pone la bata.

—Es mucho más guapo al natural, ¿verdad?

—Sí...

Sentadas alrededor de la mesa compartimos otro Marlboro light mientras barajo un montón de naipes. Arrodillado en el suelo, Agustín besa los zapatos de Sadiana y el olor a café inunda el salón. Reparto las cartas y suena el teléfono. Sadiana corre a cogerlo y tras una breve conversación deduzco que el interlocutor es Pedro García, nuestro «caballo» favorito: un aficionado a la disciplina ecuestre al que le apasiona «convertirse» en corcel. Su fantasía consiste en ser cabalgado y domado durante horas por un par de crueles amazonas vestidas de cuero con botas y espuelas.

—¿A qué hora ha dicho que viene? —le pregunto mientras sirvo el café en las únicas tacitas de porcelana.

—A las nueve. Acuérdate de limpiar las fustas y el bocado...

—Sí, jefa.

—... Y prepara tus cartas porque esta vez no te sales con la tuya —me increpa cruelmente en voz baja.

—La que no se va a salir con la suya eres tú —le contesto mirando las mías.

Saco un as de oros sabiendo perfectamente que la voy a ganar. Siempre lo hago. «Ahora me toca a mí humillarte», pienso para mis adentros mientras saboreo mi dulce venganza.

# MARIPOSAS AMARILLAS

*de*

Marta Sanz

Las mariposas amarillas y los mosquitos y otros insectos, de cuyos nombres no tenía la menor idea, pero que eran tan gordos que dejaban restos de intestinos sobre el cristal, se iban despanzurrando contra el parabrisas delantero del coche. Alicia y el conductor disfrutaban de una primavera en la que la velocidad del vehículo convertía las mariposas amarillas, primero en un polvillo de varita mágica de hada madrina de Walt Disney y después en una pasta limón como el papel pintado de una habitación infantil, en la que, de ahí a medio minuto, un gemido se iba a filtrar entre las paredes, mientras aparecía en el tabique una mancha de sangre como un hígado abierto en dos secciones. Alicia se había formado con una mezcolanza de cursilería y gore, en la que se regocijaba ahora con la contemplación idiota del vidrio que tenía delante de los ojos. El parabrisas no le permitía ir más allá de su formación molecular compacta, lo mismo que su cansancio, el de una semana de trabajo que no le dejaba vislumbrar la alegría de los festivos y en la que desarrollaba a diario su capacidad para las asociaciones. Alicia era copy y el conductor del coche era un jefecillo de su agencia, así que debía esforzarse en conversar, que no tenía la confianza suficiente con él como para olvidarse de la cortesía y dejarse ir, dormirse y despertar cuando ya hubiera llegado a su destino. El coche olía a nuevo, así que Alicia se atrevió a formular una pregunta:

—¿Es nuevo?

—Sí, me lo entregaron hace un par de días.

Así que de fumar ni hablamos, se lamentó por dentro Alicia, ahogada por el olor a plástico de los complementos del panel delantero del vehículo. Cerró disimuladamente el chorro de aire acondicionado que apuntaba en dirección a su faringe. A ella le hubiese encantado seguir atenta a las formas de los insectos que iban reventándose contra el parabrisas: eran flores, amapolas lisérgicas, manchas de aceite...

no había más que concentrarse en la superficie del vidrio. Si Alicia detuviese el alcance de su vista de modo que en el cristal quedara todo y no existiesen el paisaje ni las líneas pintadas de la carretera, todo quedaría reducido a una dimensión en miniatura y ella perdería la noción de adónde iba y de dónde venía y las manchas verdes del cristal delantero serían lagos, y las rojas, cangrejos cocidos, y las amarillas, mariposas muertas o churretes de mostaza. A Alicia le sonaron las tripas y se volvió para mirar a su acompañante, que fingió, estaba segura, no haber oído nada y puso en marcha el limpiaparabrisas después de haber pulsado el botón del chorrillo del agua. El conductor sonrió, mientras se iban borrando los chafarrinones del cristal:

—Esto es un genocidio.

Alicia volvió en sí y soltó una risita que se redujo a un sonido monosilábico. Viajaba en el coche de un conductor muy gracioso y era obligado reír los chistes e iniciar miles de conversaciones, de esas que se acaban pronto y parecen los flequitos de una colcha. Una pregunta, una respuesta, un silencio, otra pregunta, un comentario muy, muy superficial, una risita. Ahora el conductor intentaba de nuevo estirar el fleco de la colcha:

—No es muy grande, pero para moverse por la ciudad está bien.

—¿El qué?

—El coche.

—¡Ah! El coche.

Alicia dejó de mirarse en los espejos retrovisores, en los que sin saber por qué siempre se encontraba mucho más interesante que en los de su cuarto de baño, y se fijó en el conductor: un hombre de unos treinta y cinco, de facciones correctas, grande, moreno, de barba arregladísima, con alianza matrimonial, camisa bien planchada, llaverito colgante en la abertura del bolsillo. Aquel hombre podría ser el modelo de cierta elegancia viril y golfística, conseguida a fuerza de camisetas con cocodrilos verdes; sin embargo, para Alicia, era más bien un hortera. Los cedés de la cajita que había al lado del cambio de marchas le confirmaron su hipótesis: Eric Clapton, Elton John, los Beach Boys, una recopilación de boleros, la música de baile de Madonna, *Aida* y las *Cuatro estaciones* de Vivaldi... El conductor era un pretencioso, un superficial, un quiero y no puedo. El problema no consistía en cada artista por separado, sino en la combinación de todos ellos que a Alicia le traía a la mente una taza de café con sal.

Este hombre tenía el aspecto de querer tener el aspecto de un hombre que valora la calidad por encima de todas las cosas y hace la compra los fines de semana en la tienda del gourmet de unos grandes almacenes. Alicia, dentro de la medida de sus posibilidades, seguía empeñándose en ser cortés:

—Buena música.

—Sí, variada. Para conducir. Cada momento tiene su música, ¿no?

—Sí. Cada momento.

Otro fleco que se corta con las tijeras, pero es que hacía falta ser simple para soltar semejante vulgaridad. Alicia miró de reojo al conductor y después se miró los pies, avergonzada, como si el hombre hubiera podido adivinarle el pensamiento, y vio que sus zapatillas de deporte estaban roñosas. Se recorrió a sí misma de abajo arriba: los vaqueros estaban nacidos por las costuras; la camiseta, descolorida; el bolso de piel, viejo; se le habían salido los pelos de la coleta y el rímel, que se ponía por las mañanas porque si no parecía que los ojos se le difuminaban y se le perdían en la lechosidad del rostro como una galleta sumergida en el tazón del desayuno, dispersos e invisibles, se le había corrido dándole un aspecto de estar muy, muy cansada. Casi enferma. Alicia deseaba llegar a casa cuanto antes y comer deprisa, echarse la siesta y esperar a que Mauro volviese del trabajo para reírse recreándose en la apariencia del nuevo jefecillo que se las daba de majete. Aquella pretensión se puso especialmente de manifiesto cuando Alicia trató de sacar otro tema de conversación en el kilómetro doce de la autovía:

—¿Y qué tal la campaña de la protectora de animales?

—Bien, es muy interesante: uno tiene la sensación de que no vende nada. A veces, siento que soy un mercachifle, Alicia, qué quieres que te diga, pero en este caso, no. Ojalá fuera siempre así, ¿verdad? Pero no hablemos de trabajo, que hoy es viernes.

La agencia de publicidad en la que trabajaba Alicia estaba situada en una vía de servicio de la carretera de La Coruña, de modo que ella se pasaba el día subida en autobuses verdes. A veces se planteaba la posibilidad de prenderse el abono transportes a la solapa, porque después le ponía muy nerviosa rebuscar en el bolso ante la mirada del conductor. Por eso, aquel viernes, en el que les habían dado la tarde libre, aceptó enseguida el ofrecimiento de uno de sus jefecillos de acercarla a una boca de metro; luego se arrepintió, temiendo que debería darle conversación a casi un desconocido, que jugaba al squash y tenía un chalé en la sierra y disfrutaba de televisión con pantalla plana de plasma o de plasma plana pantalla o pantalla de plasma plana; un tío al que se le notaba que le gustaban los deportes y que quizá llevase una cruz de oro colgada al cuello por debajo de su escrupulosamente planchada camisa. Hubiera estado más cómoda dormitando contra la ventanilla del autobús, dejando que el sol le calentara el moflete y una gota de sudor le resbalara desde la sien hasta el cuello, para colarse por el agujerito de un escote nada desmesurado. Cuando le hubiesen sonado las tripas, hubiera sonreído a su compañero de asiento, justificándose: «Es que estas horas son muy malas...». Pero con el conductor no se atrevía a ser tan espontánea ni tan encantadora, porque no estaba segura de si le caía bien o le caía mal. Tan sólo notaba que los ruiditos del coche, el tictac de los intermitentes en los adelantamientos, le estaban poniendo de punta los pelillos de los brazos. O quizá era el frío, pero Alicia ya había cerrado el conducto del aire que apuntaba a su faringe. El viaje se le estaba haciendo eterno y Alicia optó por entretener a su acompañante con las cosas que sabía de oídas sobre fútbol, tenis o automovilismo...

—Entonces, ¿Nadal se va a McLaren?

—Alonso se va a McLaren.

—¿Cómo que Alonso?

—Sí, Alonso, Alonso, el de los coches. Nadal juega al tenis.

—¡Anda, coño! Es verdad.

El conductor se rió y Alicia se arrepintió automáticamente de su taco, mientras recordaba que, desde que había llegado a la agencia, el conductor, además de ser seguidor de Alonso y del mundial de fútbol, sencillo y patriótico, se jactaba de sus exquisiteces, de sus cursos de cata en las bodegas riojanas, de su amor por la ópera, de su abono en el Teatro Real. Alicia le había oído en la oficina en animada charla con el director creativo, otro gilipollas. Los dos conversaban de cara a la galería, en un tono de voz empastado:

—¿Tienes el *Rigoletto* cantado por Pavarotti con la Metropolitan Opera Orchestra, grabado por Deutsche Grammophon?

—Sí, claro.

—Te lo comentaba porque Cheryl Studer está

magnífica en el papel de la hija de Rigoletto, ya sabes, Gilda.

—Sí, claro.

A Alicia le repugnaba esa mezcla de campechanía y sofisticación de los jefecillos. Echó un vistazo al coche y volvió a sentirse como un burro en un garaje, porque no había pelos de perro ni ceniza ni periódicos desparramados en el asiento de atrás ni mapas baratos de carreteras embutidos en los compartimentos de las puertas de delante. Aquello no era un coche, sino una cajita de música; una habitación de hospital aislada contra las infecciones. Alicia ni se encontraba en su hábitat natural ni controlaba la situación; no era como cuando el taxista iba escuchando la radio y, en función de qué cadena oyese, ella elegía el tema adecuado y se hacía la simpática, porque no tenía dinero suelto y, al llegar a destino y mostrar el billete de cincuenta euros, no le apetecía que el taxista la mirase como si ella fuera imbécil. Mientras el taxista aguardaba en el coche, Alicia se vería obligada a dar la vuelta a la manzana, con su billete de cincuenta euros, preguntando en todos los bares y en todas las tiendas si tenían cambio. Los taxistas podían ser muy imperativos, si previamente no les habías encontrado y tocado la fibra sensible; pero, si habías dado con ella, el taxista sacaba los billetes de veinte y de diez de debajo del sobaco y allí no había pasado nada. Alicia ponía en práctica estrategias de urbanita, pero el conductor, el jefecillo de medio pelo, la desconcertaba, porque parecía no hacerle ningún caso y, sin embargo, estaba pendiente de ella; porque no encontraban nada de qué hablar y le daba la impresión de que él estaba intentando ser amable a toda costa; porque parecía agradable, pero rumiaba algo; porque, al llegar a la calle Princesa y a la boca de metro en que habían acordado que Alicia se bajaría, ella se quedó estupefacta al escuchar una proposición y se sintió como una de las mariposas amarillas despanzurradas contra el vidrio que, en un instante, pasan de ser hermosas a transformarse en un polvillo que de repente se convierte en una pasta de limón como el papel pintado de un cuartito infantil en el que, de aquí a dos minutos, puede abrirse un agujero succionador que conecte a los habitantes de una tranquila urbanización en un *suburb* de Wisconsin con los muertos vivientes de un cementerio de apaches profanado. Y Alicia no sabía si tenía tal capacidad de reconstrucción molecular ni entendía por qué aquel jefecillo, aquel hortera, aquel pretencioso de camisas bien remetidas por el pantalón, había logrado poner a Alicia tan tontísima con unas pocas palabras:

—Alicia, escucha, ¿por qué no nos vamos los dos juntos ahora mismo a un hotelito, nos olvidamos de todo y pasamos un agradable fin de semana?

—Perdón, ¿qué?

—Que si nos vamos juntos de fin de semana. Ahora mismo. Sin pensarlo más. A la sierra. Doy la vuelta y ya.

Alicia volvió a mirarse las zapatillas, las costuras nacidas del pantalón vaquero, el bolso. Y notó que aquel hombre olía a una de esas colonias que se te quedan dulces y prendidas a la piel para siempre. Y en una milésima de segundo trató de comprender qué había visto en ella aquel individuo, porque estaba segura de que, igual que ella le había radiografiado para dibujarle la caricatura con resentimiento de asalariada, él la había revisado y había visto que Alicia se mordía las uñas, que no iba nunca a la peluquería y que no se había depilado las ingles, porque aún no era tiempo de ir a la playa y ella no frecuentaba los spas ni las mesas de masaje. Desde su mirada de hombre que olía a colonia y llevaba un llavero colgante con el logotipo de alguna aseguradora automovilística, el conductor le habría puesto la etiqueta de dejada, incluso de espesa. Tal vez, el conductor había llegado a intuir que Alicia fumaba marihuana, al sorprenderla un par de veces pasando el dedo por el parabrisas, tratando de desprender el color del cadáver de un insecto por el lado equivocado del vidrio. Quizá es que nunca se había acostado con una mujer con las ingles sin depilar y que no oliese a algún perfume; con una mujer que no usara lencería cara, que no llevase sostén y que, bajo la ropa, sólo se pusiera unas braguitas de algodón blancas o de ese extraño color carne, visón decían las dependientas de las corseterías, que tanto repelús le producía a Mauro, porque le recordaba a la ropa interior que su madre colgaba en el tendedero de la azotea. Alicia se vio a sí misma como una rareza y recapacitó y se desasosegó al comprobar que aquel hortera, aquel pretencioso, aquel jefecillo, podía incluso humillarla, porque ella se notaba las carnes flojas y, por dentro, como desmadejada. Mientras tanto, el conductor, apoyando la espalda contra el cristal de su ventanilla, le dio tiempo:

—Puedes pensarlo. Entiendo que lo pienses.

Alicia pensó que tal vez aquel bebedor de vinos con leves esencias a plátano y vainilla había sido capaz de imaginársela por debajo de la ropa, de adivinarle el color de los pezones, el vientre, las tibias y los peronés; que le había seducido el lunar que le adornaba la parte izquierda del cuello y la pelusilla rubia de su mandíbula o quizá se había dado cuenta de que se le habían puesto de punta los pelillos de los brazos y de que sus ojos eran verdes y grises como las hojas de los chopos y que, cuando les daba la luz, se ponían amarillos y parecían avispas rodeando el agua de una piscina. Sin duda, el conductor se había percatado de su parecido con las imperfectas, turbias y reconcentradas actrices francesas. Tal vez, el conductor la hubiese visto como ella se veía en sus mejores momentos, tumbada en la cama, con la curva de su cadera como una media luna, en el escorzo de ponerse de lado; translúcida al salir de la ducha; con el torso compuesto de triángulos isósceles, cuando levantaba los brazos para desperezarse; sacando los morritos delante del espejo. Alicia llegó a creer que quizá el conductor, que lucía una camisa impecablemente planchada por su criada del Perú, se había enamorado de ella. Pero no era tan ingenua o, quizá, le faltaba seguridad en sí misma, pero desechó enseguida esa posibilidad, del mismo modo que renunció a investigar en las razones de aquel hombre: un apretón inguinal, un trauma de infancia, una bronca con la mujer, la sospecha de que quizá ella estuviera dispuesta a hacerle cosas depravadas, una perversión, las ganas de contar algo, un pálpito, la vocación del coleccionista de mariposas, de sellos y monedas, de relojes, la lascivia, cada música tiene su momento, una cuarentena, desprecio, afán de poder, una apuesta, me tiro o no me tiro, un reto, la cetrería o la curiosidad, y se le quedó mirando a los ojos, sin entender de dónde sacaría ella el ímpetu para superar su timidez y ese sentirse tan halagada que comenzaba a dibujársele en la sonrisa y que el conductor, si no era extremadamente tonto, iba a notar rápidamente. El conductor preguntó, sonriéndose a su vez:

—¿Te hace gracia?

Alicia negó con la cabeza y vio la necesidad de sustituir esa sonrisita, que se le estaba escapando, por su derecho a la crueldad. Pero nunca había sabido ser cruel ni decir que no cuando halagaban su yo más vanidoso. Alicia nunca había estado con quien ella había querido, sino con quien la había querido a ella, y esa preferencia había sido suficiente para que amara con locura y entregase su cuerpo a quien había tenido al menos la amabilidad de percatarse de que estaba ahí, escondido, quizá deseando aparecer después de que alguien pronunciara «cucú, tras». A la voz de «tras», Alicia se manifestaba. El conductor, quién sabe si a causa de su campechanía o de su sofisticación, quería jugar con Alicia y ella ya estaba asomando la carita entre las manos, porque ella podía ser soez y ruda, poner los ovarios encima de la mesa, comerle la oreja a un hombre, masticar una raja grasienta de chorizo, cantar un estribillo obsceno, pero también rompía a llorar contemplando cómo dos bailarines enredaban las piernas, sentir mariposas vivas en las partes huecas del interior del cuerpo al colocarse en el centro de la plaza de San Marcos, distinguir los instrumentos de cuerda y los de viento en una pieza musical y experimentar los placeres de la levitación, aspirar un aroma hasta que se ha quedado grabado en las circunvoluciones cerebrales, para siempre... Y Alicia tuvo en cuenta, mientras trataba de tomar una decisión, que esas grabaciones siempre habían sido muy peligrosas para su sensibilidad. El conductor, que quizá era un hombre más inteligente de lo que ella había previsto, o el conductor, que le mostraba su inteligencia por el hecho de que Alicia le resultara apetecible, hizo otra pregunta sin despegar la espalda del cristal de su ventanilla:

—¿O es que te espera alguien en casa?

Le vino a la cabeza Mauro y se sintió muy, muy culpable, sobre todo porque casi no había pensado en él, mientras el conductor le formulaba preguntas que ella no comprendía. Alicia respondió:

—Sí y no.

Él siguió aguardando. Desde que el conductor le había hecho aquella proposición, Mauro casi había desaparecido y ella sólo había pensado en ella y en cómo defenderse o en cómo disfrutar y en si le apetecía o no irse a la cama con aquel propietario de un coche caro, que conducía suave, muy suavemente, pese al empeño de las mariposas, de los mosquitos y de otros insectos de abultados intestinos, de suicidarse contra la luna delantera. Alicia sustituyó la culpa por la convicción de que olvidar a Mauro era un signo de independencia. Que lo que le estaba pasando nada tenía que ver con Mauro ni con su amor por él. Sin embargo, Alicia no era capaz de disociarse y se preguntó cómo lo lograba el conductor de la alianza. Alicia se dijo: «Soy una carca», pero enseguida se corrigió mentalmente: «Él es un cínico». Alicia se retiró un mechón de pelo, a la vez que el conductor le comentaba:

—Quizá racionalizas demasiado cosas muy simples...

Alicia no entendió la frase, pero le hizo gracia, suspiró, bajó la ventanilla y, sin pedir permiso, encendió un cigarro. Al fin y al cabo, había adquirido cierta confianza con el conductor. Mientras fumaba, miraba sin ver al conductor, que aguardaba la respuesta de Alicia. Ella se limitó a pedir:

—¿Por qué no pones las *Cuatro estaciones*? Me gustan mucho las *Cuatro estaciones*.

El conductor metió el cedé en el buzoncito del aparato reproductor y, sin rozar a Alicia, sin pasarle la mano por el pelo, ni acariciarle el muslo, ni acercarle la cara para intentar besarla despacito en los labios, y después con más fuerza, y después comiéndosela, como si sus labios fueran una pieza roja de marisco a la que se le escapa el jugo, introduciendo dentro de su boca esa simulación del pene que es la lengua, o quizá, pensaba Alicia, es exactamente lo contrario y el pene sólo es una lengua que no puede hablar, buscando los sabores y los olores de casi una desconocida que, por dentro, huele a mandarinas y a queso de Burgos y al bocadillo de tortilla de patatas del almuerzo, el conductor, distante, seguía escrutándola y Alicia no podía definir si lo que estaba pasando entre los dos era la ausencia total de atracción física o todo lo contrario.

Apartó la vista de él para tratar de imaginar cómo recordaría ese momento, esta noche justo antes de dormirse en el hotelito de la sierra o en su casa, con Mauro, y llegó a la conclusión de que, para ella, no sólo la imaginación, sino sobre todo el recuerdo era el detonante de sus excitaciones. Mauro le tocaba la mano y en aquel roce Alicia evocaba la primera vez que la tocó y era como si otra vez la estuvieran azotando con colas de látigos blandos el centro del vientre. Cuando se acostaba con Mauro disfrutaba de ese momento que se superponía a la primera vez que él se atrevió a rozarla, que se superponía a la incredulidad y a la satisfacción y a la sempiterna vanidad de ella, la vanidad que era en el fondo la cara luminosa de su condición vulnerable, que se superponía a cómo la miraba y a cómo no la miraba Mauro, al cerrar los ojos, cuando se concentraba en sí mismo para regodearse por dentro en un disfrute del que ella estaba participando, mirándole, sintiéndose llena de poder y de generosidad, que se superponía al cuello forzado de Mauro cuando se le metía a ella debajo de la axila y también se superponía a su cara de lactante al sorber los pezones de Alicia, como si no tuviera dientes, como un viejecito, como un niño que sorbe su refresco con pajita, ávido y gozoso, como un pequeño mamífero necesitado de alimento que, de pronto, abría los ojos, salía de su obnubilación y la vigilaba, comprobando si ella los mantenía abiertos o cerrados, si se mordía los labios o sonreía o ponía ese gesto, cercano al dolor, que a él le daba la pista de que debía insistir y de que iba por el buen camino, el lento, el moroso, el circular, el que les conduciría a congelar una imagen que siempre estaría presente, como un palimpsesto, una calcomanía, una permanencia, un tatuaje, un estigma que ayudaba a gozar por efecto del peso de la acumulación, de la superposición, por efecto de la anulación del tiempo y por la certeza de que Mauro era Mauro a los veinte, a los veinticinco, a los veintisiete, a los treinta y dos, y era el color de su piel en invierno y en verano, y las veces que le mamaba los pechos y las veces que no, y el descanso y la prisa, y el jugar a los médicos y a los vaqueros y la sorpresa de darse la vuelta y encontrarse con una lengua dura que querría hablar, pero no puede... La memoria era tan peligrosa para Alicia que prefería no pensar en cómo ni dónde, esta noche, recordaría este momento. Alicia no estaba muy segura de querer archivar ninguna imagen de este hombre, porque si la archivaba sabía que después andaría buscándolo, que sería una mujer ridícula y que ya no habría vuelta atrás. El conductor, que había apoyado la nuca en el reposacabezas y escuchaba la música, no tenía más remedio que lanzar una pregunta ante la concentración de Alicia:

—¿En qué piensas?

En agradecimiento a la generosidad, la paciencia y la cortesía del conductor, Alicia trató de mirarlo de otra manera y recordó que nunca un hombre de ojos marrones la había deseado. Alicia sólo era visible para los hombres de ojos azules, verdes, grises o indefinidos, pero nunca la había observado ni pretendido un hombre de ojos oscuros. Tal vez, aunque sólo fuese por vencer esa curiosidad de verse reflejada dentro de una pupila casi negra, merecería la pena imaginarse al conductor sin el llavero de la aseguradora, sin la camisa bien planchada por la criada del Perú, bien metida por dentro de los pantalones, sin la alianza de casado, sin las *Cuatro estaciones* de Vivaldi, sin el coche, sin el aroma intenso de un musgo azucarado que se le desprendía de la nuca, sin el pecho peludo en el que se enredarían, sin duda, una cadenita y una cruz de oro. Alicia, mentalmente, dejó el montón de ropa y complementos descansando en el asiento trasero del coche e imaginó, a su lado, al conductor desnudo. Y descubrió en él algunos detalles interesantes: buen pelo, la noble osamenta del óvalo facial, la salud de la dentadura, un cogote fuerte, una yugular marcada que, en la culminación del amor, se inflaría como una culebra, las medialunas dibujadas en las uñas, los ojos tan oscuros... Alicia vio al hombre desnudo. El muslo le cubría el tamaño de un pene que quedaba secreto, púdicamente escondido, como en la pose de una fotografía. Alicia podría disfrutar y estaba a punto de decir sí, cuando el conductor desnudo, tal vez estimulado por la receptividad de Alicia, dijo:

—Por supuesto, yo lo pago todo.

Como si las palabras fueran un conjuro, el conductor volvía a estar perfectamente vestido, y cada prenda y cada complemento y cada adminículo, las gafas de sol, el cinturón, la cartera, el pañuelo, los calcetines, volvieron a colocarse encima de su propietario, atraídos por un imán, inseparables de las tetillas, del cogote, de los pelos del pecho. El conductor pagaba, pero Alicia se preguntó qué es lo que pagaba y, de repente, pensó que nada tenía que agradecerle al conductor o que tal vez ella ya no era una pobre mujer vanidosa, sino nada más que una persona incapaz de separar el cuerpo de su vestimenta y que al menos conservaba el privilegio de seleccionar sus recuerdos. Quizá él sólo había visto en ella una putilla, y no una actriz de Francia, alguien que saca los morritos delante del espejo y que, durante un segundo, se encuentra bellísima. En efecto, debía de ser aquello. Nada sabía aquel hombre de sus triángulos isósceles ni del color de unos ojos que eran como los chopos o las avispas alrededor de una piscina. Alicia rompió la barrera que les separaba y, a la vez, los estaba uniendo de una manera tan extravagante como la que hace brotar la atracción entre secuestradores y secuestrados, enfermos y médicos, viejos y niños, hermanos y hermanas. Alicia quebró toda la tensión, acercándose al conductor y acariciándole suavemente la mejilla:

—Ha sido un viaje muy interesante. Gracias.

Alicia salió del coche. No dio un portazo. Le llegó la enloquecida música del «Verano» de Vivaldi y pudo ver, dentro de su cabeza, un enjambre de mariposas amarillas que rodeaban al conductor y se estrellaban, locas, contra los vidrios interiores del vehículo. Alicia desapareció en lo profundo de la boca de metro sin preguntarse qué estaría pensando el conductor ni volvérselo a representar dentro de su coche, aquel mediodía de viernes, durante el resto de su larga y plácida vida. El conductor la amó siempre en silencio con el corazón roto.

# ... QUE MAL ACOMPAÑADA

*de*

Silvia Grijalba

«Más vale sola que mal acompañada.» Ésa era la frase que, como un mantra, estuvo repitiendo Sonia durante el año siguiente a la ruptura con Fernando. Un hombre de una fachada impecable, pero lleno de tuberías rotas, vigas carcomidas y humedades ocultas que le había hecho la vida imposible y con el que, para colmo, había sido incapaz de romper. Fue él el que una mañana, después de tres días sin dar señales de vida, entró en la cocina, le dio un beso en la frente y le soltó: «Me voy de casa, estoy aburrido. He conocido a otra chica y me he enamorado, lo siento».

A Sonia casi no le sorprendió. Desde hacía varios meses era consciente de que no estaban juntos. Ella seguía en el mismo sitio, pero Fernando ya no estaba allí. Le hacía la comida, charlaba con él mientras cenaban, dormían juntos, hacían el amor mecánicamente una vez a la semana, a veces dos... Pero el juego se había acabado y por mucho que ella intentara insertar monedas, la partida no comenzaba.

En el fondo, aquella mañana se sintió liberada porque actuar durante tanto tiempo como si no pasara nada era un esfuerzo extenuante. Llevaba meses paseando por la casa con pies de plomo. Removiendo lo menos posible la monotonía. Con esa actitud previa a la ruptura no deseada en la que uno está convencido de que cualquier novedad puede desencadenar el cambio, es decir, la separación. El proceso natural hubiera sido que después de los desplantes de Fernando, de las noches de insomnio esperando a que llegara y de los presuntos viajes sorpresa de empresa a los que él se negaba que le acompañara, Sonia se hubiera quitado los pies de plomo para salir corriendo. Pero no, para desgracia de su dignidad, allí se había quedado, paralizada, día tras día, hasta aquella mañana.

Cuando oyó que Fernando cerraba la puerta se miró las manos, en un acto reflejo, como si intentara constatar que no se había desintegrado. Había temido tanto aquel momento que le parecía un milagro estar viva.

En ese instante tuvo una especie de revelación, una comprensión profunda, como la que había experimentado años atrás al probar el LSD. Al principio lo achacó a la vigilia (llevaba setenta y cinco horas y seis minutos en vela) y a los tranquilizantes que había tomado para anestesiar la espera, pero unos días después se dio cuenta de que no, que realmente estaba más feliz y que esa sensación de plenitud, de convencimiento de que podía cambiar muchas cosas de su vida no había sido una enajenación transitoria.

Lo primero fue cortarse el pelo. Ella siempre lo había llevado cortísimo. Le encantaba que le dijeran que se parecía a Mia Farrow en *La semilla del diablo,* aunque su modelo había sido Edie Sedgwick, la aristócrata de la Factory de Warhol. Cuando empezó a salir con Fernando, él le dijo que su mito erótico era Nico, que las chicas rubias con el pelo largo le volvían loco y que ella, con el pelo tan bonito que tenía, seguro que estaba mucho mejor («más femenina», dijo) con una melena larga... Sonia se veía más como la Pantoja, pero en rubio, que como la cantante de The Velvet, pero pensaba que si a Fernando le gustaba así... eso era lo importante.

El siguiente paso fue mudarse de su tranquila urbanización en las afueras, esa que según decían los que vivían en ella quedaba a «veinte minutos de Madrid», aunque jamás había tardado en llegar menos de cincuenta, y alquilar un apartamento en la Puerta del Sol, al lado del kilómetro cero. La tranquilidad del campo de la que Fernando hablaba constantemente a sus amigos urbanitas la sacaba de sus casillas. Cuando por fin se instaló en su nueva casa y se tumbó en la cama en diagonal, se dio cuenta de que era la primera vez en veintidós años que no tenía pareja y, ya que se ponía a reflexionar sobre ello, debía reconocerse que no había escogido muy bien. Lo pensó dos veces y se dio cuenta de que no, que el problema era que había elegido demasiado bien. A hombres prácticamente clónicos, que podrían definirse básicamente con dos palabras: guapos y cabrones.

Se acordó del primero de todos: Jaime Roselló, el hermano de su amiga Marta. Ella tenía catorce años y él estaba en segundo curso de Arquitectura. Sonia llevaba enamorada de él desde que habían coincidido en el colegio y le odiaba porque cambiaba de novia cada semana aproximadamente y a ella nunca le tocaba el turno. El verano en el que Sonia, por fin, tuvo que ponerse la parte de arriba del biquini sin hacer el ridículo y empezó a dejar de bañarse en la piscina algunos días del mes, Jaime comenzó a fijarse en sus caídas de ojos y en sus miradas fijas, que era lo que Sonia había visto en las películas que funcionaba como método de seducción. A Jaime Roselló le hubiera dado igual porque cualquier chica con un contorno 95 de pecho le parecía perfecta y después de descubrir lo rápido y lo bien que se había desarrollado la amiguita de su hermana tardó exactamente tres días en cogerle la mano en el autobús de vuelta de la piscina, que era una forma de decir que «estaban saliendo». Con él descubrió cómo las mariposas que le hacían cosquillas en el estómago cuando veía a lo lejos a Jaime, emigraban hacia su clítoris de vez en cuando. Normalmente era cuando él le acariciaba los pezones por encima de la blusa, suavemente al principio y con más fuerza después. Eso fue lo primero porque las mariposas mutaban en una especie de presión agradable en el instante en que Jaime masajeaba con movimientos circulares su «botón» y aquello que ella describía a sus amigas como «un cosquilleo con mareo» se convertía en una explosión, un vértigo, un placer por el que se dejaba llevar instintivamente y le hacía moverse con un ritmo perfecto, acompasado al de Jaime, que la acompañaba en una danza simétrica, mientras ella sujetaba aquel apéndice que iba creciendo y endureciéndose cada vez más hasta que estallaba y se quedaba palpitante, y húmedo, como el sexo de Sonia, que unos minutos después quería volver a empezar y no se cansaba nunca de experimentar esa sensación de estar a punto de estallar. Un espasmo que a veces casi la asustaba y que ninguno de los niños con los que había estado le habían proporcionado. Cuando a Sonia le preguntaban cuándo había sido su «primera vez», ella recordaba aquellas tardes de siesta en casa de los Roselló, mientras su amiga Marta hacía guardia por si sus padres volvían de la playa antes de tiempo. Con él no había sido técnicamente su desvirgamiento. Estuvo a punto de ocurrir, pero las dudas de Sonia, que a sus catorce años tenía una escala de valores muy rígida (primero caricias por fuera de la ropa, después por dentro, y mucho después penetración), cansaron al ya veinteañero Jaime y una semana después de empezar sus clases en la facultad, una tarde que Sonia fue a hacer que estudiaba con su amiga, aunque iba a verse con su hermano, se encontró a una Marta demudada que la cogió del brazo y la llevó a la ventana del jardín desde la que se veía la habitación de él. Allí estaba Jaime Roselló con Sagrario, su compañera de facultad, de espaldas a él, a cuatro patas, con Jaime cubriendo su espalda con su cuerpo y agarrándole los pezones. Cuando Sonia, aquella misma noche, le llamó para decirle que había visto lo que había estado haciendo con Sagrario Sierra, él le contestó que no entendía por qué se ponía así, que él nunca le había dicho que fueran novios.

Pero eso no iba a volver a pasarle. Allí estaba, dos décadas después y varios fracasos amorosos más tarde, dispuesta a cambiar su vida. El proceso de transformación había comenzado y Sonia era consciente de que debía ir poco a poco. Lo siguiente tenía que ser su trabajo. Odiaba tener que pasarse ocho horas al día metida en un cuartucho sin luz, atendiendo las reclamaciones de la gente. Ese puesto del departamento de «atención al cliente» —que era un eufemismo para decir sección para «dar rienda suelta a la mala leche del cliente»— de una empresa de seguros había sido su última solución.

Durante los años que llevaba trabajando en aquella empresa, se había levantado todas las mañanas con ganas de volver a meterse en la cama, pensando que no podría soportar un día más aguantando el mal humor de la gente y sintiéndose culpable por no poner esa sonrisa, esa buena cara, que sus jefes le decían una y otra vez que debía mostrar. La norma era que fuera encantadora aunque el cliente en cuestión la insultara o se estuviera acordando de su madre, como si Sonia tuviera la culpa, personalmente, de que no le hubieran ido a arreglar la cisterna. Ella consideraba que con no contestarles con los mismos gritos ya era suficientemente simpática, pero su supervisor no opinaba lo mismo y al agobio del trabajo que detestaba se sumaba el de la posibilidad de que la echaran por «poco sonriente». No se podía permitir ese lujo.

La llegada de Esteban a la oficina coincidió con la etapa «libidoproof» de Sonia. Había llegado a la conclusión de que tenía que aprender a estar sola, que como no sabía elegir y al final terminaba cayendo en las garras de Jaimes o Fernandos, debía evitar las tentaciones. Los doce meses siguientes a la ruptura o huida de Fernando se puso una coraza que más bien parecía un cinturón de castidad y cada vez que se le acercaba algún chico que pareciera que podría hacerle perder la cabeza se repetía una y otra vez «más vale sola que mal acompañada» y vencía la tentación.

Durante los seis primeros meses no le costó demasiado, pero a medida que pasaba el tiempo se dio cuenta de que ella, que jamás había estado más de treinta días sin mantener relaciones sexuales, empezaba a tener unas pulsiones físicas urgentes. No estaba llamada al camino de la abstinencia.

Así que la mañana que Esteban se sentó en el «pupitre» de al lado, sustituyendo a una compañera que tenía baja por depresión, Sonia se dio cuenta de que ese chico estaba realmente muy, muy bueno y se lamentó de no haberse dado cuenta antes. Cuando, después de unos días, descubrió que hacía puenting, que le encantaban los deportes de riesgo y que había pasado la Semana Santa haciendo espeleología en una cueva en Marruecos, Sonia se acordó de la etapa a.F. (antes de Fernando), de sus viajes de trekking por el Tíbet, del mes que pasó en la selva de Nicaragua y de ese espíritu aventurero que se había olvidado que tenía.

Después de varias semanas de citas, descubrieron que su pasión común por el riesgo no se limitaba al plano deportivo. En una de esas conversaciones íntimas de comienzo de la relación, en las que las parejas vomitan todos los secretos que nunca más volverán a contarse, Esteban le confesó que siempre le había atraído practicar el sexo en lugares públicos, vivir la emoción de que le pudieran descubrir, pero que cuando lo había hecho con alguna de sus parejas anteriores no parecía disfrutar tanto como él y que, en el fondo, siempre pensó que ellas lo hacían para complacerle. Sonia tenía que reconocer que siempre había fantaseado con practicar sexo más o menos arriesgado. Mintió a Esteban porque no quería quedar como una mojigata y le dijo que a ella le había pasado igual, que tenía la sensación de que a sus novios anteriores no les gustaba tanto como a ella. Y en ese proceso de transformación, de seguir sus instintos, se dijo que si Esteban le daba esa oportunidad de experimentar algo nuevo y salir de su muermo, tenía que aprovechar.

Esa misma noche se fueron a un sitio que Esteban conocía cerca del templo de Debod. Atravesaron una zona llena de travestis. De mujeres con las curvas exactas, unos pechos turgentes que dejaban al aire y minifaldas diminutas que permitían entrever, por detrás, un culo casi tan duro como el pecho, y por delante, un falo que mostraban orgullosas, semierecto y que empezaban a masturbar cada vez que se acercaba un coche. Sonia se sorprendió de que aquel ambiente tan sórdido no le causara rechazo, sino que la excitara. El simple hecho de pasar por allí, por esa zona prohibida, irreal, le hacía sentir un hormigueo en el que el miedo y la excitación se mezclaban. Esteban conducía con una mano y con la otra resbalaba hacia arriba y hacia abajo su dedo desde el clítoris de Sonia hasta su coño, que cada vez estaba más húmedo, más abierto y más caliente. Tenía la impresión de estar encontrándose cara a cara con uno de los sueños eróticos que había tenido tan a menudo durante los últimos meses de abstinencia. Uno de esos que no tienen que ver con la razón y que te hacen pensar, al despertar, sudorosa y completamente mojada, con los dedos oliendo a sexo, que en realidad no son excitantes, y que resulta absurdo que te pongan así. ¿Acostarse con su jefe, ese gordo, calvo, al que odiaba y tenía menos morbo que una lagartija? ¿Que un travesti la sodomizara mientras ella se la chupaba a un adolescente, casi un niño? Pero los sueños eran los sueños y ella, en ese momento, mientras Esteban la masturbaba y veía a esa réplica de Pamela Anderson mostrando obscenamente un falo enorme, estaba tan excitada que le pidió a Esteban que parara y que la follara allí mismo, inmediatamente. Esteban obedeció, se bajó los pantalones, cogió a Sonia por la nuca y le metió su polla en la boca, mientras seguía frotándole cada vez más fuerte el clítoris y le metía primero uno, después dos y finalmente los tres dedos. Cuando Sonia notó que la carne que tenía en su boca empezaba a palpitar cada vez más fuerte y que las contracciones de su sexo se iban acercando, se montó sobre Esteban, se agarró a sus hombros y cabalgó mientras él le mordía fuerte, muy fuerte los pezones. Mientras se corría, una nueva ola de excitación le subió como un escalofrío, la transexual se estaba corriendo también y la minifalda rosa se le estaba poniendo perdida.

Para Sonia aquella experiencia fue reveladora. Hasta entonces su vida sexual no había estado mal, pero se dio cuenta de que la excitación, el placer que había sentido esa noche no tenía que ver con nada de lo que le había pasado antes. Era algo que iba más allá de lo físico y entendió, por primera vez en su vida, el poder que tenía el sexo.

Ella no estaba dispuesta a vivir sin aquello. A partir de entonces, ir a la oficina se convirtió en algo mágico. Esteban y ella dormían juntos casi todas las noches, así que solían ir juntos a trabajar. El metro, ese sitio sucio, lleno de gente que hasta entonces le había dado una claustrofobia, un miedo que se tenía que aguantar porque no tenía otra manera de llegar al trabajo, era el paraíso. Esteban y ella escogían el vagón más lleno y, en el trayecto de Argüelles a Campo de las Naciones, Esteban siempre conseguía que Sonia se corriera, como mínimo una vez, mientras notaba su polla durísima pegada a lo largo de la hendidura de sus nalgas y él la frotaba disimuladamente o no tanto, porque más de una y dos veces los compañeros de vagón notaban que algo raro le pasaba a esa chica sonrosada, que parecía que estaba a punto de estornudar, pero no lo conseguía. El cuarto de las fotocopias, el de los utensilios de limpieza y, por supuesto, los baños de la oficina eran sitios perfectos para dos exploradores como ellos.

Un día, en una revista femenina, Sonia leyó un artículo sobre un artilugio que parecía que habían diseñado para ellos. Se trataba de un vibrador que podía accionarse a una distancia de hasta diez metros. En la descripción ponía que tenía forma de cápsula y presuntamente la mujer lo introducía en la vagina y ella misma (o su compañero/a) lo podía accionar, poniéndolo en una de sus seis posiciones. Las posibilidades de aquello eran infinitas. A Esteban le pareció el invento perfecto. La primera vez que lo usaron fue en una discoteca. Sonia se fue a bailar a la pista, mientras Esteban accionaba el vibrador desde la barra. La complicidad de ser los únicos que sabían lo que estaba pasando a Sonia la excitaba casi tanto como el placer físico por el que se dejaba llevar. Esteban fue cambiando las distintas velocidades, mientras veía cómo Sonia se movía lascivamente y le miraba con esa cara que ponía cuando estaba a punto de estallar. Sonia quería aguantar, excitarse hasta el límite y esperar a correrse con Esteban dentro, sintiendo cómo el chorro de su semen golpeaba las paredes de su vagina, pero no pudo esperar más, notó una explosión, que le llegó desde su sexo hasta la nuca y no podía parar. Esteban le daba cada vez más fuerte al estimulador y un orgasmo se encadenaba con otro. Tuvo que usar sus manos, lo más disimuladamente que pudo, para completar la corrida estimulando su clítoris; sabía que así el placer se intensificaba aún más. Lo hizo y ya no pudo aguantar, se acercó a Esteban como pudo y allí mismo, mientras se corría, se sujetó a su polla dura; aquello la excitaba aún más. Salieron agarrados, dando traspiés, de la discoteca y se metieron en el coche, Esteban la cogió por detrás y la penetró, mientras seguía accionando el vibrador vaginal. Sonia llegó al orgasmo una y otra vez hasta que tuvo que parar por puro agotamiento.

El televibrador se convirtió en uno de sus juegos favoritos. Lo empezaron a usar en cenas con amigos, en aviones en los que remataban la faena debajo de la manta, ante la no mirada atenta del compañero de fila... pero descubrieron que el gran filón podía estar en el trabajo. Esteban tenía cuidado de no accionarlo a tope, pero los días que Sonia decidía ponérselo, Esteban lo ponía en marcha cuando veía que el cliente era especialmente pesado. Entonces Sonia sonreía dijeran lo que dijeran. Sus jefes no podían quejarse.

Hacía años, muchos años que Sonia no se encontraba tan bien. La monotonía se había acabado y el horror de ir al trabajo también. No tenía muy claro si estaba enamorada o si lo suyo era un enganche sexual, pero le daba igual, estaba a gusto y no quería plantearse nada más. Así que el día que, estando en casa de Esteban, le llamaron por teléfono y él se fue a la cocina a hablar, no tuvo ese nudo en el estómago que había padecido cuando, en el pasado, había vivido situaciones parecidas. Cuando salió de la cocina, azorado, intentando aparentar normalidad, en vez de callarse y jugar también al «aquí no ha pasado nada», Sonia le dijo: «¿Quién era?», a lo que él respondió: «Un amigo». Ella le preguntó si en su pandilla tenían la norma de que con los amigos había que hablar por teléfono en la cocina, él le dijo que a qué venía esa ironía, ella le respondió que si no sería una amiga la que había llamado, él le replicó que sí, que qué pasaba, Sonia gritó que qué tenía que decirle que no pudiera oír ella, Esteban farfulló que no iba a darle explicaciones porque no eran novios, Sonia le espetó que después de tres meses viviendo prácticamente juntos ella pensaba que lo eran, él respondió que no podía ir en serio con alguien que follaba en cualquier sitio y Sonia cogió el vibrador y se fue a su casa.

Desde entonces, aunque no ha perdido la esperanza de que algún día aprenderá a escoger al hombre adecuado, repite de nuevo el mantra: «Más vale sola que mal acompañada», mientras acciona el vibrador en la posición 3 para que las necesidades físicas no le hagan cambiar de idea.

# LA PIEL Y EL ANIMAL

*de*

Espido Freire

Mírame: en cada una de estas fotografías encontré un defecto, algo que me hizo sentir diminuta, extraña, como si en lugar de un cuerpo me encontrara con una planta de concurso, una debilidad que me hacía cabecear como un girasol demasiado pesado. Veía curvas blancas, unas precoces señales de envejecimiento. Me sentía nada.

Ahora, desde la edad que me hace imposible mostrar algo que no sea encanto e inteligencia en mi personalidad, me río y me duelo de mi exigencia. Qué lástima, fui joven, y hermosa, fui deseada, y ante esa realidad cerré los ojos, apreté las piernas y agité la cabeza. Dicen que hay un castigo para los osados: yo ahora sufro la maldición destinada a los arrogantes.

Mírame: tuve la piel blanca y sin pecas, el pelo rojo y unas caderas tan estrechas como las de un muchacho. Ésos fueron los mejores tiempos, aquellos en los que bastaba con desnudarse y entornar los ojos, con los labios entreabiertos. Después comenzó el dolor, murió gente, perdí dinero y se me agrió el gesto. Me quedan unas cuantas fotografías anónimas. Nadie sabe que fui yo. Me gustaría saber a quién gusté, qué miradas recogí en estas imágenes, desnuda sobre una piel sintética que electrizaba mi pelo.

Esa misma noche en la que posaba desnuda ante una pared negra, envuelta en una piel oscura, Eduardo murió. Cuando me lo dijeron, aún me vestía en los camerinos, y me limpiaba el maquillaje con unos algodones cubiertos de grasa. No sentí nada: fue mucho más tarde, cuando ya en el tren me acercaba a su muerte, cuando se inició una herida en el costado.

Dos años más tarde no quedaba nada: ni herida, ni sangre, ni siquiera la imagen de Eduardo vivo, sobre mí, con el sudor y la expresión ridícula que le cubría el rostro. Hay siempre algo terrible y doliente en los amantes que no han sido correspondidos: o quizá en los hombres, en todos ellos. El deseo se encuentra reñido con el esfuerzo. Nadie extrema sus fuerzas en un beso, en un abrazo que protege frente a la vida. Es en la lucha íntima en la que esa energía se vuelve grotesca.

Mis pestañas dolían de tan pesadas mientras corría hacia la estación, con la creencia adolescente de que era mentira, de que Eduardo no podría morir, ni desaparecer. No ahora, cuando mi mano le buscaba antes de dormirme. No le quería, pero qué largas resultaban las ausencias. O sí le quería. Llevábamos tanto tiempo juntos, la cama de uno junto a la del otro, que no sabía cómo llorarle.

Hay poca cosa que contar de aquellas horas, salvo que para los jóvenes todos los viajes, incluso los más trágicos, resultan una aventura. Era aquél un tiempo en el que yo podía con todo. El sol y el frío, las horas sentadas sin un movimiento, o el no levantarse jamás. Nada importaba. Fuera lo que fuera, todo era lejano, todo resultaba ajeno. Las penas, como las alegrías, eran zarpazos en vivo: había pocos recuerdos, y pocas melancolías, y las tardes de lluvia, o de un sol suave, ensoñador, se reservaban a los primeros amores y a los juegos de la infancia.

Unas horas antes me tendía desnuda en una manta blanca, mira, guapa, ahora, así, muy sensual, sexy. Dámelo todo, dime, mira. Un momento, cambiamos de lente. ¿Tienes frío? No, mentía yo. No pensaba en nada, ni siquiera en mí misma. Aún menos en Eduardo. ¿Por qué? ¿En qué pensaba él, entonces? Debería haber estado junto a mí, con una indicación sutil sobre cómo mover el cuello. Él llevaba mi carrera, me marcaba el paso. Era mi metrónomo.

No era la única en el vagón: algunos muchachos, argentinos, con un acento del otro lado del océano y del tiempo, cebaban mate en una pavita preciosa, de madera y musgo y cuero. La única chica entre ellos, la niña más joven, me miraba, piernilarga, con esa sonrisa artificial que tantas de mis compañeras mostraban. No le sostuve la mirada. Perro no come perro. ¿Qué hacer contra otra belleza que me rozaba, que ni siquiera hería, ni hacía más que ofrecerse en balde?

No había nada tras la ventana, sólo un vacío, noche y un espejo que me reflejaba. Tendría que haber sabido algo. Una llamada en lo hondo, una imagen, algo que me contara que el hombre con el que me acostaba había muerto. Me adentraba en lo desconocido, mientras el día luchaba contra la puesta de sol. Esa escena terminaba en muerte, en tinieblas. Ahora mi problema es otro: ya es de noche, y yo no sé si ha muerto el sol, ni yo, ni lo que fui.

Había olvidado qué era yo antes de unos meses, de mi lenta transformación en una muchacha de piel desnuda sobre un animal muerto: de pronto, mientras el olor al mate me daba náuseas, y el traqueteo del tren me adormecía, llegó a mí otra imagen: una fiesta, tiovivos de colores con caballitos y un globo azul estratosférico, azul y blanco, que ascendía en la plaza central. Tras el cristal veía una estación amplia, con piedras grises que parecían muy polvorientas bajo la noche, entre los raíles.

Volaba hacia lo desconocido, a la pena, al origen. Mi gesto, que podía ser tomado por valiente, era insólitamente cobarde. Cobarde hasta el punto de preferir actuar, moverme, la apariencia de ser útil, estar sola, pensar, escribir, recordar el colorido brillante y jugoso del brezo y la flor del tojo en las laderas de los montes. ¿Dónde estaba el pasado? Sólo existía el momento entonces, terrible, ardiente. Eduardo boca arriba y pálido, muerto con el volante atravesado en el pecho.

No quería ser simpática con nadie, ni con los argentinos que me miraban con simpatía y curiosidad, porque no podría soportar el dolor de la despedida para siempre de la gente que iba a conocer en unas pocas horas; prefería esconderme bajo las gafas de sol, y apretar los labios, todo, todo, antes de sentarme y aguantar las lágrimas ante el exceso de emotividad y las noticias, las desconocidas, ésas.

Eduardo. Sin duda nos parecíamos. Éramos ambiciosos, lentos de entendimiento pero tardos en el abandono, tan tercos como cualquier pesadilla. Como yo, miraba tras unos ojos verdes y rasgados, más ambarinos los míos. Me llevaba cuatro o cinco años, y desde que decidió que yo le pertenecía, su vida se unió a la mía. Lo único que no previó fue su muerte.

Sabía tanto de él que manipularle ni siquiera suponía un triunfo. Le gustaban las cerezas, el cine en blanco y negro, algunos restaurantes para ver y ser visto, pero luego le conmovían los aeropuertos en soledad, y las mujeres abandonadas. Pagaba con dinero lo que no era capaz de conseguir con carácter. Se acostó con muchas mujeres, antes y después de mí. Hubo una mujer morena, mayor y firme, que casi logró que se olvidara de mí. Desapareció porque tras dos años de ausencia, esa noche me colé en su cama.

Desnuda.

Había cumplido los diecisiete años, y con ello rompía una promesa que habíamos jurado en secreto, con los labios temblorosos de deseo. Aquello no podía repetirse, nos jugábamos demasiado. Mamá confiaba en mí, y se fiaba de él, tan sensato y maduro pese a su edad. La decepción la hubiera matado. Por mí, mamá podría haber renunciado a su vida mucho tiempo antes. Sólo le debía la piel, y las manos feas. Eduardo, en cambio, la apreciaba. Despertó tarde, cuando su mano, casi por costumbre, se había amoldado a mi cintura. Le acallé, volteé en la cama, tan consciente de su debilidad como de mi energía. La morena sensata desapareció. No hubo otra rival.

A veces me preguntaba qué me impulsaba a esa voluntad tenaz de retenerle. Cuando acudíamos a los castings, él disfrazado de hombre, yo de adolescente sin apenas experiencia, le miraba como si fuera ajeno. Vendía mi apariencia como hubiera podido hacerlo con una fruta madura. A mí me consolaba la creencia de que todo resultaría sencillo: si Eduardo era capaz de mirarme como lo hacía, cualquier hombre podría. Pero no pensaba en él. Como el aire, me resultaba imprescindible e incoloro.

Eduardo miraba sobre mi hombro, elegía las fotografías en las que yo abría las piernas, mostraba unos pliegues que me había encargado de que brillaran húmedos, tiernos. Creo que tampoco su atención se detenía demasiado en mí. Lo que cruzaba su mente cuando me montaba, absorto y rítmico, debía de ser algo muy distinto. O quizá, como yo, fingía muy bien su interés.

Las horas en el tren no terminaban nunca. Aquel reto era otro modo de huir. Mamá sabía algo. Puede que hubiera duelo en mi casa, todas las luces encendidas como cuando murió la abuela. El abuelo se dejaba distraer como un niño, y era la primera vez que yo veía a mamá entregada al llanto. No podía imaginar a Eduardo así, encerrado en un ataúd de tapa de cristal, con dibujos opacos alrededor de la cara, tan parecido al que en mi memoria apresaba a la abuela.

Pensé en el modo en el que mamá debía permanecer ajena el mayor tiempo posible a aquello. No debía saberlo. Pobre mamá, tan sencilla, y frágil, e hipócrita. No le importaba que yo me desnudara en el club, o que posara con unos pechos maquillados ante extraños, siempre que nadie lo supiera. Para eso le servía Eduardo, como una garantía de honorabilidad y sensatez. Ahora, sin él, no había vuelo posible.

Por eso Eduardo no podía haber muerto. No hubiera sido justo que muriera sin que yo lo supiera, sin permitirme que al menos preparara a mamá, sin una previsión de vida apresurada y palpitante, como yo deseaba. Si moría, habíamos dicho, queríamos una señal. Un dolor terrible, un conocimiento sobrehumano. No sentía entonces ninguna certeza.

El día anterior, mientras me preparaba para los claros y sombras de las fotografías, tuve miedo. No solía tenerlo. Recordé las primeras fotos, aquellas que sacábamos a escondidas, en un cuarto con una estufa, Eduardo y yo. Aprendió revelado para que nadie compartiera el secreto.

Yo vivía en una segunda planta, con un sol perfecto y bermellón que veía surgir coronando las casas bajas y las enredaderas que las cubrían. Las vigas de la buhardilla se inclinaban sobre nuestra cabeza como las espinas de un pescado, y a veces tenía la sensación de haber sido engullida, como Jonás, por una ballena que convirtiera los sonidos de la calle en un resonar lento, transformado el aire en océano, y el tiempo en una sensación líquida que nos cubría los miembros y los volvía perezosos, somnolientos, esclavos del calor y su ritmo atónito.

Yo tenía catorce años, malas notas, un brote de pecho rosado y ansioso, y él, una cámara y ambición.

Ven, me dijo. A medias, insistí yo. Vamos a medias. Lo conocía lo suficiente como para no fiarme. Corrimos el pestillo de su habitación, y yo deslicé la camiseta, y después el vaquero, arrugado y caluroso. Él me miró a través del objetivo. La espalda recta, añadió.

Enderecé los hombros, y mi estómago desapareció. Si nos pillan, dije. No hay nadie en casa, añadió, y yo le creí, porque ésa era la voz que me cuidaba desde niña, que jugaba conmigo y con mi hermana en la plaza del pueblo y en la puerta de mi casa. Nadie, repetí, y miré a la cámara.

Eduardo no era Eduardo. Me soltó los enganches del sostén, e hizo una seña para que no lo dejara caer aún. Después, cuando lo aparté con el pie, deslicé la mano bajo la braga. No sabía qué hacer, porque todo lo que tenía que ver con mi cuerpo, la limpieza, el crecimiento, los cambios de tamaño y textura, me aguardaban a solas. Incluso el violento placer de indagar bajo la falda me golpeaba en secreto, sin palabras para explicarlo ni confianza a quién decírselo.

Desnuda, dejé que fotografiara. Había caldeado tanto el cuarto que sudaba, y muchas de las imágenes muestran un bonito cuerpo con un rostro cubierto de brillos. Él se sacó el jersey. Cíclope, tras el ojo negro de la cámara, me pareció irresistible.

Ésa fue la primera vez. Cuando la cámara rebobinó el carrete se tendió junto a mí. Yo le rodeé con mi piernas, y busqué su boca. No sabía besar. Le mordí, y mientras evitaba mi boca, mantuvo mis muslos separados. Sentí su dedo, y después, ya nada.

Nunca me importó lo que vino después. Tras el momento en el que la seducción se completaba, cuando los ojos se entornaban, y ya no servían las palabras, nunca fui capaz de sentir nada. Como en otro cuerpo, yo tomaba el lugar de la cámara.

Mírame: en cada una de estas fotografías di algo, algo que me hizo sentir minúscula, absurda, como si en lugar de un cuerpo me encontrara con un animal de feria, una debilidad que me hacía cabecear como un gato demasiado consentido, ágil pero pesado. Veía peces sutiles, unas estrías plateadas que apenas surgían pero que yo sentía letales. Eduardo me recorría con un dedo, como alguien que supiera que en el jarrón que había comprado se encontraba una falla. Y siempre la hallaba.

Frente a la cámara no sentía miedo. Sólo deseaba llegar a mi casa; yo me desmaquillaba, y de pronto alguien me había dicho: «Ha muerto». Había algo oscuro, mi piel o mi conciencia. Pero no estaba muerta. Desearía tanto no saber... un viaje eterno. Así, alejada. A veces siento que no pienso si no contemplo estas fotografías, y hacía mucho que no miraba hacia nada. Al vacío.

En el hospital, una señora mayor vestida de negro y con el pelo plateado permanecía con las manos juntas y una expresión de increíble dignidad entre la gente que vagaba de un lugar para otro, con las caras llorosas. Vi varias veces a esa señora. Parecía investida de una distinción que no compartían sus hijas. Una mujer que debió de haber sido muy bella, como hubiera deseado ser yo y no he logrado serlo nunca.

Grité hasta que me contestaron que, si no me tranquilizaba, nadie me llevaría con Eduardo. Pensé en la señora de luto, y guardé silencio. Por el contrario, la familia de una niña cuyo mal no llegué a saber alborotaba nerviosa, como una bandada de gallinas. La madre, aún joven, con el pelo corto y vestida de naranja, no quería dar crédito a las palabras del médico que afirmaba que la niña estaba fuera de peligro y sin fiebre. Quería verla como fuera, y atisbaba por la puerta de cristal que daba paso a la sala de reanimación.

Pensaba en esa niña casi curada, y luego en Eduardo, y me sentía furiosa con la preocupación de la madre; había acudido allí toda la familia. Varios hermanos y algunos sobrinos se parecían marcadamente, y los más jóvenes me observaban, a mí y a alguna muchacha que esperaba, con interés disimulado. Ninguno de ellos era atractivo. De otra manera, quizá hubiera aguardado al momento, el café en el bar, el cambio de turno, para contarles que el mes siguiente aparecería en portada, que se aprovecharan mientras pudieran.

También vi a una mujer gorda y enlutada, con sus hijos, todos de ojos vacíos y claros, que trataban de ver a un niño de doce o trece años con la mitad del rostro quemado. Mientras me sentaba, en la rígida silla de espera, con la consigna de tranquilizarme y obtener una recompensa, a ese niño lo cambiaron varias veces de habitación. Una enfermera informaba a la madre. Había tomado un poco de leche, pero no le gustaba el zumo de naranja. Pasaba, inconsciente y abrasado, con un rostro aterrador. Como una cáscara vacía.

Eduardo había muerto.

Cada cierto tiempo, aparecía por el ascensor un carro lleno de bandejas de comida; cada bandeja llevaba un cartelito de color con el nombre y la enfermedad del paciente. Después de que el carro pasara flotaba en el aire un olor caliente y nauseabundo a comida muy cocinada.

Debieron de ocurrir muchos accidentes ese fin de semana. En el cuarto piso esperaba una rubita llorosa, con la cara roja y congestionada. Su madre andaba de ronda por los pasillos; una vez la llamó, y la figura de la rubia, cojeando con sus piernas de alambre y una falda roja muy corta, se perdió galería adelante.

Entonces, con una parsimonia premeditada, con la morosa calma de quien no tiene nada que perder, me llevaron ante Eduardo. Mantenía el rostro intacto, aunque bajo la sábana yo sabía de un cuerpo destrozado, las costillas astilladas, el corazón reventado bajo la presión del volante y el impacto. Corría demasiado, como siempre, a la caza de otra modelo, que posaba, algo más tarde que yo, en otra revista más importante.

Mírame, pareció decir. Habrá fotografías, unas muestras lívidas de mis ojeras y mis labios muertos. Seré un error en tu memoria, algo diminuto, extraño, como si en lugar de un cuerpo me encontrara con un peso de plomo y roca. Veía en sus cejas unas precoces señales de envejecimiento. Las mismas que, en las fotografías de los siguientes días, me hicieron ver que yo había llegado tarde ya a aquella efímera fama. Quizá en la cama con Eduardo añadí años, escepticismo y llanto.

Esperé, con los ojos secos. Después, con voz dulce y lejana, me preguntaron si lo reconocía. Sí, dije, es mi hermano. Después, con el paso lleno de angustia, salí de la sala y de su vida.

# EL AUTOBÚS NO CUENTA

*de*

Coché Echarren

—Iba en un autobús. No sé si estaba leyendo o mirando por la ventanilla cuando sentí que un brazo rodeaba mi espalda bajo la cintura y otro se apoyaba a la misma altura pero por delante, o sea, con la mano en mi ombligo. Pensé que igual llevábamos así colocados mucho tiempo. Recordé que al subir el hombre que se sentaba a mi lado me había mirado con interés... Yo sostenía unos folios arrugados en la mano izquierda y en ese momento no supe qué hacer con la derecha. Me revolví un poco para intentar que me soltara buscando una postura, pero conseguí lo contrario: me sujetó con más fuerza y los dedos que tocaban mi ombligo bajaron un poco más. No me atrevía a mirarle y además tal y como estaba colocada no hubiera podido sin que nuestras cabezas se juntaran. De reojo distinguí un pelo revuelto, duro, rubio oscuro, joven. Me quedé quieta y respiré para pensar: nadie nos miraba. No sabía si él estaba dormido. Lo mejor, sin duda, era que yo me durmiera para no enterarme de nada. Apoyé la cabeza en el cristal de la ventanilla, dejé caer los folios al suelo y cerré los ojos. Sin pretenderlo rocé su mano con la mía al relajarla, la aparté enseguida. Por el corte me puse nerviosa y volví a revolverme ligeramente, pero entonces sus dedos bajaron un poco más. Ya no sólo rozaban la blusa, sino también la falda. Me quedé muy quieta, como si estuviera profundamente dormida. Me pregunté si él había tomado la determinación de tocarme nada más verme o si lo estaría haciendo dormido de forma inconsciente. Abrazó más fuerte mi tripa y uniendo los dedos me hizo una caricia muy leve, como si nada. Luego volvió a quedarse quieto. Podía haber sido el movimiento de un sueño, pero fue suficiente como para que me entraran muchas ganas. Me volví, giré la cabeza hacia la suya sin abrir los ojos, obligándole a acariciarme de nuevo con el movimiento. Estaba muy cerca, podía olerle. Olía a pelo, a piel y un poco a gas de cocina, ni colonias ni tufos. Me gustó. Respirábamos a la vez. El aire de su nariz llegaba a la mía. Su mano volvió a moverse y bajó. Yo la busqué y a la vez nuestras bocas se juntaron. Entonces abrí los ojos y me encontré con los suyos muy cerca, castaños, brillaban, miraban con determinación. Dije: «Huy, ¿qué estamos haciendo?», fingiendo sorpresa pero susurrando. Él me calló respondiendo: «No te preocupes, lo que se hace en un autobús mientras se duerme no cuenta», y besándome después. Lo que sigue puede usted imaginárselo.

—Sin embargo, me parecería conveniente que continuara con su narración.

La mujer da una calada al cigarrillo antes de apagarlo y expulsa el humo mientras responde:

—A veces no sé si le guía su profesionalidad o el morbo.

Se hace un silencio y la mujer continúa.

—Esta vez no me repugnó al terminar. Le miré, ahí tumbado en nuestra cama de siempre, la de las broncas, y le di un beso. Le dije: «Ha sido maravilloso». Se quedó encantado, puso cara de orgullo. Es fácil hacer feliz a un hombre.

—¿A qué se refiere?

—A los hombres les halaga creer que han provocado un gran placer en la cama.

—¿Y no fue cierto?

—En realidad lo que más me gustó de todo fue que me dijera eso de «lo que se hace en el autobús no cuenta». Y no me lo dijo él. Eso lo estaba soñando mientras dormíamos juntos y empezábamos a enrollarnos.

—¿Qué significa esa frase?

La mujer piensa mirando hacia el cenicero. De pronto se ilumina ligeramente su mirada y su piel.

—Que no pasa nada por tener sexo juntos, que nuestro matrimonio no se va a salvar por eso... Es curioso, lo tengo claro, no quiero arreglarlo.

—Es decir, que la razón por la que rehuía la intimidad con su marido no es el rechazo al sexo, sino el rechazo al matrimonio.

—Exacto, qué raro darme cuenta ahora... Claro, por eso lo del autobús: hay lugares como limbos donde lo que ocurre no tiene consecuencias. Y ahí es donde puedo disfrutar de verdad: el sueño, el juego de cambio de identidad, un autobús o un avión que no están en un sitio ni en otro... —espera mirando al cenicero de nuevo—, o como este cuarto.

La mujer se enciende un cigarrillo. Parece ser víctima de cierta euforia a pesar de su aspecto perfecto e inexpresivo. Mira al hombre que tiene enfrente. Se hace un silencio tenso, cargado de esa mirada.

Ella se mueve en la silla, obligando a dirigir los ojos hacia la piel de sus piernas y a la falda, y él los mueve hacia allí de forma involuntaria. Ella aparta el cigarrillo de su boca y dice:

—Llevamos años juntos, en este cuarto, hablando sobre mí... Siempre me siento en esta silla y el diván se queda ahí vacío tan cerca... Creo que estamos deseando usarlo. —Vuelve a cambiar de postura y le mira—. Lo que ocurra aquí no cuenta.

Se vuelve a hacer un silencio denso, el humo nubla las caras.

—Es la hora. Seguiremos hablando la próxima semana. Hasta el jueves.

# EL FIN DE LA RAZA BLANCA

*de*

Eugenia Rico

Algunos dicen que nada de todo esto hubiera sucedido en un día menos caluroso. Yo sólo sé que, desde hace semanas, los jardines del harén están apestados por los frutos del mango que caen sin ruido ni pausa sobre las fuentes y las avenidas. Rotos, agujereados por los picotazos de los pájaros que les ponen ojos negros y siniestros, los mangos infestan con su verdor y su perfume el mundo. En vano, el Khan ha ordenado a cientos de sus mejores jardineros que trabajen doble y triple turno para proteger las azaleas y a las mujeres de las tentaciones que trae consigo el excesivo dulzor del árbol del mango. Las lluvias deberían haber caído ya, pero sobre nosotros cae sólo la maldición del mango. El aire es sofocante y está lleno de malos pensamientos, para todos nosotros, los que habitamos este Jardín de las Delicias, condenados a vivir sin sexo, o peor aún, a tenerlo una sola vez en la vida como me ha sucedido a mí. Para todos nosotros, ya digo, es malo, pero para mi Señora, la hija favorita del Gran Khan, era aún peor.

El Gran Rey, mi Señor, Khan de todos los mongoles, rompió mi virginidad y mi corazón cuando tenía quince años y fui entregada como regalo a su harén. De eso hace tanto tiempo que ni él ni yo nos acordamos. Ni siquiera mi Señora, la princesa Chehab Jehan, se acuerda de cuando yo era casi tan joven y hermosa como ella. Mi Señora piensa que el mundo comenzó el día de su nacimiento. Su padre también lo piensa. El Rey hace tiempo que desprecia a su harén, pero no desprecia los encantos de su deliciosa hija. Orgulloso, dice, debe ser el hombre que come el fruto que él mismo ha plantado.

Así que ahora vuelvo a ver todas las noches al Gran Khan que una vez tuve en mis brazos, pero ya no le veo como concubina, sino como lo que soy ahora, la más fiel de las damas de compañía de mi señora Chehab Jehan, paño de sus lágrimas y sus secretos.

Nunca supe si la Princesa habría amado tanto la piel blanca de no haber tenido que dormir casi cada noche con su padre, un hombre tan grasiento y que gustaba tanto de los ungüentos que era difícil saber a ciencia cierta el color de su piel, más roja y oscura que pura y blanca. A la Princesa le gustaban las pieles más claras y la piel que prefería a todas era la de un portugués que había visto por azar una mañana en una playa. Para nuestra mala fortuna, esa misma tarde había conseguido una cita secreta con él. Y, desde entonces, a pesar de que las princesas de los mongoles no deben casarse ni mucho menos tener relaciones con ningún hombre que no sea su padre o su hermano, mi Señora moría por la piel blanca y por los hombres que la poseían.

Tú no puedes comprenderme, decía, mi amante portugués me canta en su extraña lengua y escribe en mi piel sonetos de amor con miel de caña.

Casi todas las mañanas, a pesar de mi cojera, ayudaba al portugués a saltar la empalizada, y cada vez que lo hacía me juraba que sería la última. Por cuenta de la Princesa había sobornado a la mayoría de los eunucos, y los que no fueron corrompidos la amaban tanto que nunca la traicionarían. A los que no pudo contentar con oro y rubíes la Princesa contentó con su propio cuerpo y así compró el silencio del harén, donde todo se oculta y todo se sabe.

La Princesa pasaba las noches con su padre y las mañanas con su amante. Por la tarde contentaba a algún eunuco y al atardecer muchas veces lloraba.

Para poder tener a un solo hombre, tengo que complacer a tantos... Y me lo decía a mí, que ya no complacía a ninguno y había perdido la esperanza de hacerlo.

Yo todavía estaba en edad de tener hijos, pero sabía ya que nunca los tendría. Cada vez que ayudaba a la Princesa a deshacerse de un bebé, y eso había sucedido ya dos veces, lloraba desconsolada. La desgracia de mi ama era ser demasiado bella, la mía siempre fue la de ser invisible. Después de años de tratar conmigo, creo que mi ama ni siquiera se daba cuenta de que era coja.

Compadéceme, me decía Chehab Jehan en el lecho del dolor cada vez que paría, que por dar placer a quien me lo niega debo sufrir y luego perder aquello por lo que he sufrido. Y algunas veces yo la compadecía.

El Rey se alegraba mucho de los embarazos de la Princesa. Soy hombre que sabe plantar muchos frutos, se jactaba. Sabía también que el escándalo sería grande si su existencia traspasaba los muros de palacio. Un cosa era la moral de reyes y nobles y otra, las habladurías del pueblo.

Los dos bebés fueron varones y por los dos suplicó la Princesa ante su padre para que no les diera muerte. Le prometió someterse a él en todo y aceptó no verlos nunca más a cambio de que se criaran lejos y a salvo. Pero yo sabía, aunque nunca se lo dije a mi Señora, que al primero el Gran Khan le había hecho matar en el bosque y al segundo le habían matado en el mismo patio del harén los hermanos mayores de la Princesa por ser dos veces de sangre real.

Conociendo al Gran Khan yo sabía que mi ama la Princesa buscaba la muerte cuando tomó al portugués por amante. Tarde o temprano se sabría, y si nuestro amo no tenía piedad ni de sus hijos recién nacidos, no podía esperarse que tuviera piedad de su amante favorita, aunque fuese también su hija.

Y llegó la noche en que el portugués y la Princesa pudieron dormir juntos por primera vez. Todos creímos que las fieras habían entrado en palacio. El portugués juraba a gritos que estaba dispuesto a morir por ella. Embestía contra las sombras y todo el palacio de cañas y brocados retumbaba. Creímos oír al tigre rugiendo desde los pantanos, pero el tigre estaba dentro de mi Señora. Ella gritaba como si otra vez diera a luz y luego nacía un silencio de ranas y susurros de amor después del fuego. Mi Señor estaba de viaje en el Norte y la Princesa se permitió el lujo de pasar un día y una noche enteros con su amante. Nunca la he visto tan hermosa. El miedo había enrojecido sus mejillas y sus ojos estaban arrasados de lágrimas de terror. Me miró y bajó los ojos suplicando que la protegiera de la traición.

Porque la traición se había ya producido. Pérfidos eunucos, pagados por los que se fingían amigos de la Princesa sin serlo, habían llegado a donde estaba el Rey a punto de dar caza a un gran ciervo blanco. Dicen que el Rey erró el tiro por primera vez en su vida. Él, que no había amado a nadie, descubrió en ese mismo instante que estaba enamorado de su hija. Aunque mereciera la muerte, no encontraba fuerzas en su corazón para matarla. Qué sería del mundo sin sus labios; para qué servirían los elefantes si no podía montarlos con ella entre las piernas; dónde encontraría reposo su lingam, si no era en el regazo de su princesa. Ya cuando era niña se la comía a besos y ahora que se había hecho mayor no podía vivir sin sus abrazos. Si hubiera sido un hombre lo habría hecho rey; como era una mujer la había hecho su esclava. Ya que no puedo darle mi reino, le doy mi corazón, le contaba a su caballo. Y el caballo inclinaba tanto los ojos que parecía asentir. Era el caballo favorito del Rey, al que la Princesa daba de comer con sus propias manos. Antes de entrar en el harén, el Rey miró al caballo por última vez y le pareció que no había otro tan hermoso en todos sus reinos; se dio la vuelta y lo mandó matar, porque lo había amado demasiado.

El portugués tenía barba de dos días, los que había pasado sin separarse del lecho de mi ama. Se había quedado dormido abrazado a sus caderas y nada podía despertarle. La Princesa, aunque profundamente dormida, se despertó al oír entre sueños los cascos del caballo de su padre. Muchos dijeron que fue porque practicaba la magia negra, pero yo sé que hubiera reconocido el caballo de su padre en medio de una manada por el sonido de sus cascos que ella misma había hecho herrar con plata.

Despertó al hombre blanco y miró en torno. En su aposento había dos cámaras; una de ellas era el baño, que se calentaba encendiendo una gran caldera de bronce. No había otros muebles, sólo alfombras de Persia y cojines de Damasco, la caldera de bronce con el escudo del Gran Khan era el único verdadero lujo de la estancia. Así que mi ama, cuya astucia era casi tan grande como su belleza, obligó a su amado a esconderse en el interior de la gran caldera porque no había otro lugar donde esconderse.

Luego se enroscó en el lecho y como una gatita fingió dormir. No habían pasado ni cinco minutos cuando entró el Rey acompañado por mis gritos y protestas para que dejara descansar a mi Señora, que se había encontrado mal durante el día.

Como de costumbre el Rey ni me vio ni me oyó, sólo tenía ojos para su hija. Se quedó un momento de pie ante ella y después se inclinó a besarle el cuello para despertarla como gustaba de hacer otras noches. Le lamió delicadamente el lóbulo de la oreja, se embriagó con el perfume de sus cabellos y, antes de que ella abriera los ojos, supo que no tendría valor para matarla.

En ese instante ella le cubrió de besos y le prometió amor eterno. El Rey la tomó, sin desnudarla siquiera y sin preocuparse por mi presencia. Entró en ella y en menos de un minuto estaba resoplando. Entonces se derrumbó sobre la Princesa y comenzó a besarle el pelo. En ese momento el Rey ya no quería encontrar al extraño, pero los traidores sabían que si no lo encontraba ellos tampoco encontrarían el calor de sus camas una noche más.

Así que tuve que hacerlo. Todavía hay días en que me arrepiento, pero pienso que no pude hacer otra cosa.

—Mi Señor —le dije—, la brisa es fresca y su Alteza ha sudado demasiado sobre el caballo; permitid que encienda la caldera y os prepare un baño.

Ahora ya no podía volverme atrás. Los ojos de la Princesa se abrieron de espanto y, segura de que yo desconocía lo que ocultaba la caldera, comenzó a hacerme desesperadas señas.

Luego se lanzó a besar y morder el lingam del Rey y el portugués vivió otra media hora. Yo seguía insistiendo. El Rey sólo deseaba que todo siguiera como hasta entonces, pero había comprendido que, si no hacía nada, todo el harén le llamaría débil. Y un Rey puede ser muchas cosas, puede ser cruel, malvado o negligente, pero nunca puede ser débil.

—Sea, pues —me dijo—, prepárame un baño, pero haz traer mucha leña para que el fuego sea hermoso como esta noche y el agua se caliente enseguida.

Entonces la Princesa me miró y supe que no descansaría hasta verme muerta, aunque sus ojos volvieron a sonreír con gracia a su padre.

—Padre, si me amas, te ruego que renuncies al baño. No podría soportar el calor del fuego en esta noche tórrida.

Al principio suplicaba con dignidad, pero a medida que los criados apilaban la leña se desmoronó y le rogó con lágrimas en los ojos.

—Padre, si me amas, báñate sólo en mi amor y te seré fiel todos los días de mi vida.

—Hija mía —dijo el Rey—, si me amas, enciende tú misma la caldera con tus bellas manos, y, si no, arrójate a ella, como hacen las hindúes cuando cometen sati.

—Padre, si me amas, no me pidas esto —dijo la Princesa ya sin fuerzas.

El olor de la carne humana quemada es como el olor de un asado cualquiera. El hombre blanco tardó en gritar. Sin duda pensaba aún en salvar la vida de su amada. Los soldados del Rey tuvieron que sujetar a la Princesa para que no se arrojara dentro de la caldera. El propio Rey agarró a su hija por los brazos y la mantuvo abrazada mientras ella lloraba en su hombro. Hasta que se consumió la noche y la pira y los gritos se elevaron por fin entre el fuego.

Luego se encerró con ella dos días y dos noches y, cuando la Princesa volvió a dar a luz, al niño rubio que nació le permitió vivir en el harén.

En vano esperamos la ejecución de la Princesa y las elevadas recompensas que el Rey nos había prometido. Hizo asesinar a los eunucos que le habían dado cuenta de la traición de su hija. A mí, en cambio, me regaló una túnica de seda.

Desde esa noche mi ama no ha vuelto a sonreír, nadie me saluda en el harén y la entrada a los hombres blancos ha sido prohibida en el reino.

Sé que el Rey me deja vivir porque me espera algo peor que la muerte, pero no sé qué es. Todas las noches pruebo con miedo la escudilla de arroz que preparo yo misma. Me pregunto cuánto tardará en llegar el veneno.

Todavía no sé por qué lo hice. El día en que la denuncié lloraba grandes lagrimones recordando lo bien que me había tratado la Princesa y cómo había castigado a los que se reían de las marcas de la viruela en mi cara. Ni yo misma sé si fue porque a mí también me hubiera gustado que la raza blanca estuviera dispuesta a perecer por mí. O porque me hubiera gustado ser tan hermosa como la Princesa. Pero yo creo que fue por los gritos que escuché aquella noche cuando hasta el último tigre de la selva hubiera dado la vida por ser un portugués.

# VOLCÁN ADENTRO

*de*

Imma Turbau

Despertó con un sabor metálico en la boca, y no era en sentido figurado. Al incorporarse de la cama tuvo que escupir una moneda. Miró alrededor y nada parecía fuera de lugar en su cuarto de hotel. Parecía idéntico a como era el día anterior. Miró por la ventana, y lo mismo: el jardín, el muro, algunos tejados, el volcán dormido. ¿Recordaba o no recordaba la noche anterior? No la recordaba, pero no le hacía falta el recuerdo para imaginar lo que había pasado. Las marcas en su piel eran la escritura de un idioma que conocía muy bien. Y no dolían.

Buscó la moneda en el suelo. Quinientos quetzales que no valían nada, vulgares y corrientes, si no fuera por la muesca que tenían en el canto. Una muesca biselada, se arrepintió de mirarla tan seguido, de retenerla en la memoria. La guardó en el bolsillo de los vaqueros que acababa de ponerse y se esforzó en hacer como que la olvidaba. Mezclada con otras piezas iguales, la que había estado en su boca sería irreconocible. Si lograra olvidar la muesca, si lograra olvidarla.

Cuando cruzaba el lobby del hotel, en dirección a la calle, recordó que no había adónde ir: el pueblo era minúsculo, quince calles horizontales y quince verticales, el parque central. La noche anterior había ido al único garito que estaba abierto, y sabía que sería mejor no volver, era un riesgo innecesario. Si tan sólo recordase el porqué. Al día siguiente llegarían sus amigos y seguirían viaje, y podría por fin olvidar lo que de todos modos no recordaba, lo que apenas era un vago rumor que más nacía de su lengua que llegaba a su oído.

Dio media vuelta y se dirigió al jardín. Era el jardín que se veía desde la ventana de su habitación. El hotel era el lugar más bonito de los alrededores, sin duda el lugar más bonito del pueblo, claro que eso era si no se contaban los volcanes. El que veía todo el tiempo y el que quedaba siempre a sus espaldas, y que parecía rehuirle. Qué estupidez. Sabía que había dos volcanes, pero sólo veía uno. No importaba, no iría, claro, no quería ir solo a visitar los volcanes. Visitarlos. Como si fueran personas, o muertos en un cementerio.

El jardín olía demasiado fuerte a unas flores enormes y tan carnosas que parecían pedazos de res. Tocó una de esas flores, su tacto era conocido: húmedo, suave, terso... no necesitó pensar, su cuerpo pensaba por él. El olor le mareaba. Había loros y quetzales. Intentó imaginar quinientos quetzales de verdad, no la moneda, quinientos pájaros multicolores, y tuvo un mal presentimiento. Un presagio. Prefería los quinientos quetzales en un cobre, aunque apareciesen en su boca.

La mujer que se acercó a su banco no era una desconocida. Era una mujer eterna, todos hemos conocido a mujeres así. En realidad son siempre la misma. Él ya se había enamorado de esa mujer algunas veces, en otros cuerpos. Siempre el mismo amor de fuego y piedra y al final un sabor metálico pero no de dinero. Un sabor como de tener un pendiente, o un anillo, dentro de la boca, algo que no es tuyo pero que tú pagaste. Un mal sabor.

—¿Te acuerdas de mí?

—¿De cuándo?

—De ayer. ¿Te acuerdas?

No podía contestar a eso, ¿cómo podía contestar a eso? Aunque sí hubo una respuesta a su pregunta, y era la respuesta que ella esperaba; era una respuesta callada, una respuesta de hombre: una erección deliciosa, inesperada, dolorosa. Dolorosa. Anoche había estado así, seguro. Mucho tiempo, yerto. Por eso le dolían los testículos. Ocultó la mueca de dolor.

—Veo que te acuerdas. ¿Quieres volver?

—No recuerdo, de veras. Sólo la moneda, un poco.

—La moneda es un salvoconducto, como un peaje. ¿La conservaste?

—Sí, la tengo. No quiero volver a verla.

—La necesitas.

—¿Para?

—Para el volcán. Si te reclama, tienes con qué pagar tu rescate.

Esto no era una alucinación. El volcán parecía dormido, aunque no puedes fiarte de los volcanes, son como las latas de soda. Cuando tiras de la anilla nunca sabes si saldrá a propulsión o si apenas se oirá el gas. Pues lo mismo el volcán, que tenía aspecto como de viejo, como de anciano, como de ruina, pero estaba forrado de verde, asfixiado de vegetación, y con la entraña negra de lava solidificada. Nadie sabe qué hay dentro del volcán, como mucho se sabe qué es lo que sale de un volcán, pero no podemos ni siquiera sospechar lo que se queda dentro, lo que permanece, lo que nunca ve la luz, lo que se mueve viscoso, caliente, por las galerías que hay ahí dentro. Adentro. Adentro del volcán.

Y ya lo siguiente era que me abrasaba. Me abrasaba desde dentro, como una puñalada desde el esófago, con ese escalofrío que da el alcohol al cuerpo cuando está sobrio y entra como un calambre, ese primer escalofrío que templa.

Era una cantina, ya miré alrededor y no era otra cosa, una cantina igual a todas, pero alcancé a ver que no era la misma que la noche anterior, al menos no era la del pueblo, ésta tenía que estar en las afueras, porque estaba justo a los pies del volcán, aunque según y cómo se sentía dentro del volcán. Ella estaba en la barra, hablando, me miraba, yo sobre un banco, mirando el vaso que tenía sobre la mesa, imaginando los ríos de lava como si fueran mis venas, que me quemaban no de alcohol, sino de deseo, un deseo denso, desconocido. Turbio. Espeso. Doloroso. Como si estuviera muerto y vivo. Yo la miré hablar hasta que me vio y se acercó a la mesa.

—¿Ya podemos irnos?

—¿Adónde?

—Al volcán. Como anoche.

—No recuerdo.

—Recordarás.

El olor de las flores de nuevo, ahora no me provocaba repulsión, ni rechazo. Busqué y no las vi, no estaban. Luego vi que el olor le nacía a ella. De la boca. Seguí deseándola, ahora ya sabía a quién deseaba.

—¿Dónde estoy? Ésta no es la cantina que conozco.

—No a todos se les da llegar hasta aquí. Apúrate con el trago, nos vamos.

Los ojos eran oscuros, pero quizá verdes. La piel era oscura también, pero no tanto como para que no brillase en la oscuridad con una luminiscencia que pertenecía a las cosas transparentes. Tanto alcohol y la erección no se iba, me dolían tanto los testículos que parecía que de un momento a otro se desprenderían de mi cuerpo y se irían rodando.

Llegamos a una cama, en una habitación que no era la mía, que no era ningún lugar, que no existía. Yo la miraba, aunque me dolía; la miraba, aunque sabía que sucedería lo mismo que la noche anterior; la miraba y por fin recordaba, lo recordaba todo, los tragos, los besos, el volcán, el banco en la cantina, el catre, los ojos, el escroto duro como una roca, su piel que brillaba, la moneda, la moneda en mi boca, la muesca de la moneda...

# LOS AMANTES DE LAS SEPULTURAS

*de*

María Frisa

*Para Túa, que tiene la virtud de inspirar.*

«[...] mi tumba se me figura mi lecho nupcial»
(Shakespeare, *Romeo y Julieta,* I, 5).

¿Quién dijo que todos los grandes escritores decepcionan si se les conoce de cerca, que son seres engreídos y cicateros? No es cierto, yo los he conocido a casi todos y ninguno —quizá Wilde— me ha defraudado. He de reconocer a su favor que nuestro trato siempre ha sido póstumo.

A muchos paraísos se accede por una puerta estrecha, frecuentemente la de un cementerio, y yo, en los equinoccios o en las noches de luna llena, disfruto visitando sus tumbas: Baudelaire, Borges, Conrad, Shakespeare... Mi habitual pasividad se desvanece frente a sus sepulcros, me envuelve una música callada que paulatinamente se transforma en un anhelo, una avidez, cuyo origen desconozco y que, ignorando cómo saciarla, me deja acalorada y sin aliento.

Aunque no soy en exceso imaginativa, a esta querencia se une otra: la entomología. ¿Con qué palabras expresar la delicia que supone descubrir un coleóptero o un anélido en las inmediaciones de una sepultura? Pensar que sus antecesores han saboreado las carnes, los ojos, los nervios, de aquellos literatos a los que tanto admiro y que todavía puede quedar en ellos algún resquicio de su mundanal genialidad...

Los insectos me entusiasman desde la niñez, desde que mi vecino del tercero izquierda, Ricardito, se aficionó de los cuatro a los ocho años a bajarse los pantalones cada vez que nos mandaban a jugar a su cuarto.

Aquel trocito de carne fofa entre mis dedos me recordaba a los gusanos de seda que mi prima Nina tenía en una caja de cartón y alimentaba con hojas de morera. Para mí, dejó de llamarse para siempre Ricardito transformándose en *capullo*.

El sobrenombre me gustó tanto que comencé a buscar semejanzas entre las personas que conocía y los insectos: sor Rocío pasó a ser un fásmido, un insecto-palo sin alas que gracias a su capacidad de mimetizarse podía aparecer en cualquier lugar; mis padres, unos grillos, siempre produciendo un molesto chirrido por el roce de un ala sobre otra; la madre de *capullo* y la portera eran hormigas león, con sus largas antenas, las mandíbulas masticadoras y dos pares de grandes alas... La única persona a la que no encontraba un análogo era a mí misma: ninguno se amoldaba a mis particulares hasta que lo conocí a él.

Ocurrió en el equinoccio vernal. En aquella ocasión me desplacé a Baltimore, al Old Westminster Burial Ground, para recrearme en la tumba de Edgar Allan Poe.

La noche propiciaba el allanamiento del cementerio y al pie de la reja de entrada hallé el túmulo de mármol: un ancho pilar de altura superior a la de un hombre medio, con una cornisa a guisa de ridículo sombrero y debajo la efigie en negro del escritor.

Llegué auspiciada por la luna y me coloqué frente a la sepultura descalza, a menos de un metro de distancia, con los brazos colgando laxos a los costados. Todavía serena.

No sé cuánto tiempo transcurrió, ni si el motivo de que no advirtiera su llegada fue mi abstracción o su sigilo, pero sin sorpresa ni extrañeza descubrí otro cuerpo a la par del mío, fijos también sus ojos en el túmulo. Lo único que podía percibir sin moverme era que vestía de negro con la camisa estudiadamente por fuera del pantalón.

Cerré los ojos. Sin duda había llegado volando: las culturas indígenas consideran que las mariposas negras son almas de difuntos que no pueden abandonar este mundo. Inmediatamente catalogué a mi desconocido dentro de la familia de las *Attacidae,* que comprende las mariposas nocturnas más hermosas del mundo cuyas alas van provistas con vistosos ocelos circulares.

Nos hallábamos tan próximos que apenas un par de centímetros separaban nuestros dedos y la brisa caracoleaba entre ambos jugando a acercarnos. Sin necesidad de hablar ambos comprendimos de inmediato la prohibición del tacto, de la vista, incluso del olfato. Permanecimos en nuestras posiciones, asumiendo lo que nos estaba vedado y respetándolo.

Lo primero que escuché fue su respiración, su aliento manando tibio y mezclándose con el mío, acompasándose; después mis oídos aprendieron a diferenciar los murmullos reidores de las hojas de los árboles, los sonidos de la ciudad fingidamente dormida tras la tapia, el susurro de la arena jugando a arrastrarse, y los descarté para aferrar el suave frufrú de la brisa deslizándose bajo su ropa. Un hálito que resbalaba por su piel, acariciándola tentador sin conocer fronteras, como también hacía con la mía, erizando el suave vello, estremeciéndome, hormigueando en las yemas.

Pasaron unos segundos, unos minutos, quizá una hora, ya los miembros se dolían del dulce entumecimiento cuando imaginé que en vez del aire eran mis dedos los que huían sin tregua por su carne. Mi boca se colmó de arena, la respiración se me quebró en sus oídos y, asustada, comprendí que nunca antes había experimentado lo que era sentir sed.

Entonces, en el preciso instante en que supe que no podría permanecer de ese modo sin traicionarnos, sin rozar con mi dedo los suyos para calmar mi ansia, él se apartó de mí. Se agachó a mis pies depositando un papel y después se alejó.

Todavía tardé unos minutos en abrir los ojos, en caer postrada de rodillas.

Su mensaje, escrito en inglés, era escueto: «Aquí yace un poeta cuyo nombre fue escrito en el agua». Deduje que se trataba de la propuesta de un nuevo encuentro.

La simpleza de su enigma me ofendió hasta que razoné que lo había planteado antes de conocer al destinatario, de comprender con quién se iba a medir.

Obviamente, era el epitafio del famoso poeta romántico John Keats, muerto de tuberculosis en 1821 con apenas veintisiete años, sepultado en el Cimitero Acattolico, un encantador jardín arbolado también conocido como el cementerio de los poetas, en el que se entierra a los no católicos de Roma desde 1738. Sin duda, uno de los camposantos más bellos y por lo mismo más populoso: una elección demasiado vulgar, a mi gusto.

Acudí a la cita la primera noche de luna llena y allí, aguardándome sin rastro de impaciencia, se encontraba mi anfitrión.

La tumba de Keats, más sencilla que la de Poe, es una lápida que se eleva sobre un lecho verde hasta alcanzar el metro y medio, contigua aparece otra lápida gemela bajo la que se guardan los restos de su amigo y poeta Joseph Severn, ambas cercadas en su perímetro por un pequeño cuadrado de cemento cuajado de plantas y flores.

Mi desconocido se hallaba de pie junto a la de Severn; yo me coloqué frente a él pegada a la otra lápida. Al hacer acto de presencia me había sometido a sus deseos, ahora debía acatarlos.

Nos vimos por primera vez. No era guapo pero sí arrogante, con esa clase de insolencia que únicamente proporciona una gran seguridad en los méritos propios y en su desempeño. Mi hermosa polilla vestía de lino, era un maravilloso ejemplar de *Saturnia pyri* o Gran Pavón.

Sus labios se entreabrieron, aunque no emitió ningún sonido; yo me quedé aguardando y él comenzó a desabrocharse los botones de la camisa, uno, dos, tres... para dejar al descubierto un torso musculado, velludo y cobrizo, propio de quien ejecuta habitualmente trabajos al aire libre.

Me desnudé sin avergonzarme, por primera vez, de mi cuerpo; comprendiendo que era el indicado para él, que cada curva, cada exceso, cada concavidad se acoplaba perfectamente a sus huecos. Exponiéndome a sus ojos.

Desvistiendo cada parcela de la piel ante la avidez del otro con morosidad, pues en el momento en que la descubríamos dejaba de pertenecernos, cada fragmento al ser bebido por los ojos del otro ya no era el mismo, su sola contemplación nos cambiaba, nos hacía más un nosotros. Cada uno en un extremo de la sepultura como límite. Sintiendo cuánto nos hería la distancia.

Permanecimos así mucho tiempo, aprendiendo los recovecos, las huellas, las heridas del cuerpo ajeno (alegrándome inmensamente de que su miembro no guardara semejanza alguna con el gusano fofo de Ricardito).

Ya amanecía cuando recogí mi ropa y dejé en su lugar un escrito emplazándolo para el siguiente encuentro.

Me hallaba en Lourmarin, un pueblito del sur de Francia, en un destartalado cementerio de anchos caminos de tierra y cipreses, al pie de un pequeño montículo, de una tumba tan concisa que unos cantos hundidos en la tierra marcaban sus confines. Sobre ella crecían unas cintas y unas plantas oleaginosas, clavada en el suelo una simple lápida cuadrada de piedra con el nombre del difunto y las fechas 1913-1960. Una tumba tan concisa como mi mensaje: «Siendo el mundo tan fútil, ¿qué alternativa hay al suicidio?».

Era la noche más corta del año y yo lo aguardaba con esa extraña mezcla de feliz anticipación y de zozobra que toda espera conlleva; incluso sabiendo que acudiría, que no podía faltar.

Cuando apenas faltaban un par de horas para el amanecer compareció con una ancha sonrisa mostrando unos dientes muy blancos en contraste con su piel. Se paró frente a mí en una callada reverencia. Ahora era mi turno. Me acerqué hacia él desatando el largo pañuelo que ceñía mi cuello y le até las manos a la espalda con la suave firmeza de la seda azul.

Hasta entonces no habíamos estado tan cercanos y advertí que sus ojos eran pardos y moteados de púrpura, muy semejantes a los míos pero más fríos, ásperos en el filo. Con un dedo sellé sus labios antes de separarme unos pasos, los suficientes para soltar los tirantes y dejar deslizar sinuoso hasta mis pies el vestido de organza blanco que me cubría, que tapaba aquel cuerpo que él tan bien conocía.

Las hembras de las mariposas nocturnas exhalan feromonas, unos aromas que atraen a los machos. Ésa era mi intención: embriagarlo con mi esencia.

Como si la conociera, se dirigió a mi cuello y, tras recorrerlo despacio, aspiró profundamente un par de veces con los ojos cerrados tratando de definirme. Levanté la larga cortina de mis cabellos y le procuré paso hacia la nuca, donde se perdió gozoso dejando tras de sí una leve estela de polvo muy fino formado por las escamas de sus alas, y en la que hundí complacida mi nariz.

Se entretuvo en el nacimiento de mis senos, en mis muslos, en la curva de la cadera, en la tibieza de la axila, en el empeine del pie derecho, en el cobijo de la parte trasera de la rodilla, en el caracol de la oreja. Allí hubiera permanecido gustoso, pero el amanecer ya se intuía y el Gran Pavón sólo puede volar durante la noche, pues la luz atrae, asusta y desconcierta por partes iguales a las polillas.

Quedé desnuda, bañándome en el alba, y pensé que Camus estaría satisfecho.

Jamás me había sentido tan dichosa, tan plena. Ciertamente, una parte indispensable de la felicidad es carecer de algunas de las cosas que se desean. San Agustín afirmaba: «No hay placer en comer y beber a menos que preceda el malestar del hambre y la sed».

Esta vez su mensaje resultaba más complejo y comprendí que su solución también encerraba mayores promesas:

«Horrorizado por la luz del día, trabajaba, según Borges, con las persianas bajas.

Patéticamente feo y solitario, de niño le gustaba escuchar a las hadas del bosque.

Loaremos su nacimiento».

Negándome a utilizar Internet y obstinándome en la cita de Borges me llevó tres febriles semanas localizarla en *Introducción a la literatura norteamericana,* donde se realiza una de las mejores presentaciones de Howard Phillips Lovecraft que se han escrito: «Muy sensible y de salud delicada, fue educado por su madre viuda y sus tías. Gustaba, como Hawthorne, de la soledad y aunque trabajaba de día lo hacía con las persianas bajas».

Sólo entonces me percaté de que se trataba de un acróstico con el nombre del escritor: HPL, y entristecida pensé que seguía sin confiar en mí.

El 20 de agosto en el Swan Point Cemetery de Providence tuvo lugar nuestro encuentro ante la tumba del rondador de cementerios, del sabedor de secretos prohibidos y practicante de cultos abominables que terminó creyendo en sus propios Mitos de Cthulhu. Una tumba tan sencilla como la de Camus pero con un epitafio: «Yo soy Providence».

En esta ocasión fue él quien anudó mis manos con una cuerda y quien se desnudó pausadamente delante de mí, ¡tan cercano y tan inasible...! Se vendó los ojos y se tumbó en el suelo al pie de la lápida enteramente a mi merced, dándome la libertad de cometer los pecados que ignoraba que anhelaba.

A horcajadas sobre su cuerpo repasé con la punta de la lengua el contorno de sus labios, los pómulos, la nariz tan marcada, las arrugas que se formaban en su frente, y me sorprendió su dulce salobridad porque las mariposas tienen un desagradable sabor, generalmente muy amargo, como mecanismo de defensa contra sus depredadores. Mi Gran Pavón no tenía miedo de que yo lo devorara entero.

Humedecí mi lengua en su saliva y fui trazando caminos en su cuerpo, senderos transparentes que sólo yo transitaba. Sintiéndome cada vez más poderosa, enardecida, cayendo poco a poco en un frenesí de besos, lametazos, saliva, mordiscos y secreciones que no deseaba detener a pesar de que la soga me mordía las muñecas, de que el roce del esparto me hacía sangrar.

El goce y el dolor unidos, aprendiendo que el dolor es el peaje que hay que pagar obligatoriamente para obtener el placer.

Ambos comprendíamos que nuestro siguiente encuentro sería una fiesta para los sentidos, que detrás de las manos iría todo lo demás, ya que una vez que nos tocáramos no habría retorno.

Deseaba un lugar íntimo, por eso había elegido la tumba del hombre que reposaba en lo alto de la isla del Grand Bé, enfrente de Saint-Malo, *pour ny entendre que la mer et le vent;* la tumba sobre la que Sartre ante los ojos impávidos de Simone de Beauvoir había orinado para mostrar su desprecio. La meada de Sartre no era nueva, sus *Memorias de ultratumba* fueron denostadas en su día por la derecha reaccionaria como una obra peligrosamente liberal.

Por supuesto, no eran éstas las pistas que le había proporcionado, más bien le había hablado de un escritor que daba nombre a un bistec de unos cuatro centímetros de grosor y un peso cercano al medio kilo.

La noche del equinoccio de otoño me sumergí en el mar. Al islote, más bien un ancho promontorio con un camino de tierra entre los rastrojos que ascendía hasta Chateaubriand, se podía acceder andando cuando no había pleamar, como en esos momentos.

Llegué descalza, con el pelo enmarañado, empapada, la ropa pegada al cuerpo, jadeante a la cima, a aquel rincón de piedra coronado por una cruz de cortas y orondas extremidades, como un tronco humano sin miembros ni cabeza. Él se había anticipado, aguardaba, como si le pareciera una falta de educación entrar, al pie de los pivotes que cercaban la tumba, con la vista fija en el camino. Erguido, hermoso, tal vez más hermoso por cuanto la vida de las mariposas es muy breve.

Antes de que mi respiración se normalizara, sus dedos comenzaron a desprenderme del amasijo en que se había convertido mi ropa, y mis manos buscaron a tientas entre las suyas. Lento, tortuosamente lento, debido a la urgencia de nuestros deseos (el placer es un fenómeno tan efímero...), sin poder creerme el tacto de mis yemas sobre su piel, de mis dedos enmarañándose en su pelo crespo, ciñéndolo sin cuidado, de mis breves pechos cobijados perfectamente en los huecos de sus palmas, del sabor a salitre de nuestra piel, del abrazo de nuestros cuerpos, de la carne que anhelaba ser saciada, arañada, pellizcada, mordida, lamida.

Caímos unidos rodando al suelo —yo sobre él— sintiendo una calidez desconocida, olvidando toda prudencia, ahogándome con esa poderosa sed que tan presente se me hacía desde que lo conocía, esa sed que (al igual que los ríos van todos a la mar, y la mar no se llena) no lograba aplacar, desesperada de ansiedad, boqueando mientras veía cómo sus pupilas se tornaban vidriosas de inminencia.

Distinguí enfebrecida la esquina del túmulo, y prometo que no sé cuál fue mi intención, pero levanté su cabeza con mis manos. Él, perdido en su propia *petite mort,* no advirtió nada extraño en mis movimientos. Sin un instante para la piedad, la culpa o la compasión estrellé su cráneo contra la piedra. Entonces sí, entonces reventé en un caudal irrefrenable que me sacudía en hondos espasmos al tiempo que mis dedos se mojaban con su sangre.

Cuando me calmé, ronca todavía de placer, observé mi cuerpo sobresaliendo del suyo, mi abdomen voluminoso y alargado, mis brazos largos y robustos presionando todavía la cabeza de la pobre mariposa negra con la que me había apareado. Comprendí al fin, después de tantos años, a qué insecto me asemejaba y por qué nunca antes lo había descubierto: era una Mantodea, una depredadora Mantis Religiosa.

Me separé de su cuerpo, todavía consternada; la vida, ajena a mí, marchaba azul hacia la alborada.

# LA ESTIRPE DE SATURNO

*de*

Lucía Etxebarria

*Para Gorka y Mercedes*

La gente se engancha a cualquier cosa cuando no sabe estar a gusto consigo misma. Se engancha al alcohol, o a los porros, o a la coca, o a los chats, o a las blogs, con tal de no quedarse a solas con una persona que no soportan: la que llevan dentro. De ahí que tantos busquen como locos una manera de salir de sí mismos, de escapar a esa desbandada de ideas que se persiguen unas a otras, en pandemónium, por la cabeza y que amenazan con volverte loco.

La gente también se engancha al sexo.

Y eso porque, como todo el mundo sabe, el sexo

puede proporcionar esta ilusión de dejar de ser. En muchos casos, da una impresión de fusión, con lo que uno cree que deja de ser uno mismo, una entidad autosuficiente, para pasar a ser parte de otro. Y en otros casos hace que uno sienta que abandona el propio cuerpo, que trasciende a otra dimensión. Especialmente, todos los que han practicado el sadomasoquismo insisten en este fenómeno, en ese perderse en el vértigo del instinto, en el hecho de que experimentaban una especie de escisión, una salida de sí. Quizá porque delegaban la responsabilidad de sí mismos en otro, el que ejercía de amo o ama, que era el que tomaba las riendas. Otra explicación que se baraja a menudo tiene que ver con la neurología: al parecer, las terminales nerviosas que nos hacen experimentar dolor y placer son las mismas y en momentos de excitación intensa estas sensaciones se confunden, de la misma manera que llegamos a confundir el frío y el calor extremos, y nos parece a veces que el hielo quema. Por eso hay quien se levanta después de una apasionada noche de amor con el cuerpo cubierto de moratones y no recuerda ni cómo se los hizo, porque experimentó placer en lugar del dolor que habría sentido si los golpes los hubiera recibido en una pelea en lugar de en el transcurso de un lance amoroso. Y por eso cuando se juega a alternar el dolor y el placer hay quien entra en una especie de trance muy parecido al del consumo de una droga, y puede escuchar por fin, con claridad meridiana, la voz precisa del silencio.

Pues bien, yo he vivido eso.

He vivido la experiencia de salir no sólo de mi cuerpo, sino de este mundo. En el sentido más literal del término. Se trató de una experiencia altamente erótica pero también muy terrorífica.

Habrá quien se la crea.

Y habrá quien piense que éste no es sino un cuento gótico más.

Cuando la gente leía *Cosmofobia* antes de que el libro se publicara, había comentarios de lo más variado. Luis de la Peña, un crítico, decía que era «*La colmena* del siglo XXI». No es que no me guste *La colmena,* pero en ningún momento la había tomado como referencia, y si el libro se parece a *La colmena,* se parecerá también a *Manhattan Transfer,* a *Shortcuts* o a cualquier novela o película coral. Emili Rosales, el editor de Destino, aseguró que le recordaba a Hanif Kureishi. Y lo mismo digo: he leído a

Kureishi y me gusta, pero ni por asomo pensé en él al escribir la novela. Mercedes Castro, gran editora y mejor amiga, afirmó rotunda que era una novela sentimental. Curro Cañete dijo, al contrario, que era humorística. Y así, cada quien la veía de una manera distinta, porque al fin y al cabo una novela o una obra de teatro, una canción o una pintura, el arte en general, actúa como espejo: uno, más que ver lo que el artista ha puesto allí, se ve a sí mismo. Una obra de arte le hace reaccionar respecto a lo que ve, escucha o lee. Por eso una misma novela puede tener críticas muy diferentes. Evidentemente, si el crítico es homófobo, de derechas y machista no va a tener muy buena opinión de cualquiera de mis escritos, y creo que por eso se explica que la misma novela, en el mismo año de su publicación, pueda haber recibido críticas realmente carniceras y otras que la ensalzaban a los altares de la gloria literaria.

En cualquier caso, lo que nunca ha dicho nadie de mí es que hago realismo mágico. Y no, no lo hago. Pero sí me llama la atención que no se haya comentado nunca la cantidad de magia que aparece en mis libros. En *De todo lo visible y lo invisible*, Ruth pierde una cadena y, tras invocar a su madre ya fallecida, la cadena de oro aparece bajo la cama, formando un círculo perfecto. Esta historia le sucedió en realidad a mi amiga Pilar, y la invocada no fue la madre, sino la abuela. En *Una historia de amor como otra cualquiera,* una de las chicas encuentra al hombre de su vida tras realizar un conjuro de Luna en Tauro. En el libro se detallaban las instrucciones del conjuro y puedo garantizar que sé de quien lo ha realizado y que en todos los casos ha sido efectivo. En *Un milagro en equilibrio,* Eva se libraba de un amante mediante otro conjuro, una bruja le leía el futuro y se lo adivinaba y un extraño personaje que conocía en un bar le entregaba una brújula que cambiaba su destino. En *Cosmofobia,* Ismael sabe que no va a morir cuando se le aparece su padre, recién llegado de la aldea de los fallecidos; Claudia se queda embarazada después de que Isaac se concentre en desearlo bajo el influjo de la magia del incienso de Yamal Benani; Amina está convencida de que ha sido hechizada y se supone que Yamal ha conseguido su triunfo gracias a una invocación de magia negra. Y, por si eso fuera poco, tengo un libro entero dedicado a la magia: *Actos de amor y de placer,* cuya segunda parte no es otra cosa que un grimorio en verso.

No soy bruja, no estoy iniciada en ninguna secta y no creo tener poderes psíquicos especialmente notables, a pesar de que, según testimonios numerosos y diversos, mi abuela sí los poseía, y podía prever el futuro. Sí que tengo tres amigos cercanos que leen las cartas, una de los cuales, además, sabe realizar rituales. Conozco al menos a cuatro escritores famosos que van a leerse las cartas con asiduidad a videntes de su confianza, y al menos a tres que saben de rituales y hechizos y los practican. En resumen, vivo rodeada de magia, pero hasta hace poco no creía especialmente en ella. Sí que sabía que muchas de las predicciones se cumplían y que los hechizos surtían efecto, pero no achacaba semejante éxito a virtudes sobrenaturales, sino más bien a los efectos de la programación neurolingüística, un término que hace referencia al proceso que sigue nuestro sistema de representaciones sensoriales para organizar sus estrategias operativas.

Toda acción y toda conducta es el resultado de la actividad neurológica como respuesta a nuestra actividad mental, a la forma en que nos programamos o nos programan. De esta manera, cada uno de nosotros establece programas mentales, que se ejecutan por mediación de los impulsos neurológicos ordenados. La actividad neurológica y la organización de las estrategias operativas se exteriorizan a través de la comunicación en general y del lenguaje en particular. La Programación Neurolingüística describe la dinámica fundamental entre mente (neuro) y lenguaje (lingüística) y cómo su interacción afecta a nuestro cuerpo y a nuestra conducta en general (programación), porque cualquier conducta humana se realiza tras haber sido programada en nuestro cerebro después de que el sistema neurológico haya combinado adecuadamente los impulsos recibidos por cada uno de los órganos sensoriales implicados. Así, un estímulo emitido por el órgano sensor (receptor) correspondiente (vista, oído, gusto, olfato y tacto o sinestesia) se procesa según una manera específica de representaciones internas y, como resultado, se ejecuta una acción.

Esto, en definitiva, viene a explicar que cada persona desarrolla su propio y exclusivo modelo del mundo porque, a partir de las interpretaciones que hace de una experiencia subjetiva, va filtrando la realidad a través de sus creencias y códigos de conducta.

Supongo que el anterior párrafo les habrá sonado a chino a muchos, así que voy a tratar de explicarlo de una forma más comprensible: creo que cada persona puede autoprogramarse para lograr unos objetivos determinados, y que ése es el verdadero causante de por qué muchas veces se cumplen los vaticinios de las cartas o funcionan los hechizos. Por ejemplo, recuerdo el caso de un amigo, Miguel, al que una echadora de cartas le dijo que conocería a su próximo amor en la fiesta de Nochevieja y que el tal amor sería extranjero. Y así fue. Quizá la vidente hubiese visto el futuro, pero también podría ser que Miguel, convencido de que aquello iba a suceder, hubiese hecho que sucediera. Como diría Jack el Destripador, desglosemos su bello flechazo por partes: en primer lugar, Miguel no es muy amigo de salir de marcha, pero aquella Nochevieja se apuntó a la fiesta más animada, sugestionado probablemente por la predicción de la cartomante —y aquí hago un inciso para desafiar a cualquiera a que me encuentre una animada fiesta de Fin de Año en una ciudad multicultural como Barcelona en la que no haya al menos un veinte por ciento de foráneos—. Sigamos: tenemos a nuestro héroe en pos del amor arregladísimo y predispuestísimo, y demos por hecho que Miguel, aquella noche, entre las tropecientas conversaciones casuales que en una ocasión así surgen, prestó mucha más atención y fue más encantador cuando el interlocutor no era catalán. Con todos estos ingredientes, no es de extrañar que acabara aquel fin de año mágico en los brazos de un cubano. Además, ¿qué gay soltero que vaya buscando sexo no liga en una fiesta de Nochevieja?

Otro ejemplo: ya he dicho que el conjuro de la Luna en Tauro tiene fama de infalible y que lo han realizado algunas de mis amigas —las que tuvieron la paciencia de procurarse todos los ingredientes— con excelentes resultados (si alguien quiere realizarlo, que se compre el libro *Una historia de amor como otra cualquiera,* y siga las instrucciones que se detallan en el cuento «Una noche en el cementerio»). Este conjuro conlleva una complicada realización, e implica a todos los sentidos. Hay velas, hay aromas, hay especias, se usa sobre todo el color rosa, hay que beber vino... Es decir, exige una seria inversión de tiempo y esfuerzo, y además hay una programación sensorial constante, pues, tras haber entrado en trance autohipnótico mediante los colores, las velas y los perfumes durante la preparación del ritual, hay que llevar prendido al escote un saquito rosa que contiene hierbas aromáticas, de forma que su perfume continúa programando/sugestionando a quien lo lleva tiempo después de la ejecución del rito. Dicho todo esto, no es difícil suponer que quien ha empleado tanto esfuerzo y empeño en hacerse con los ingredientes necesarios para un conjuro tan complicado con el fin de conseguir un amor, se habrá convencido, una vez realizado el ritual, de que el amor va a llegar a su vida, y con esta convicción saldrá a la calle más feliz y mucho más receptiva. Y, con toda esta suma de predisposiciones positivas, al fin y al cabo, no será tan difícil encontrar amor cuando el mundo está lleno de gente que lo busca.

En esta línea, y como todos saben de mi interés por estos temas, mis amigos me han contado muchas historias de magia vividas en primera persona o casi. Algunas tenían explicación racional y a otras resultaba más difícil encontrársela, pero lo cierto es que, casi sin darme cuenta, me he convertido en una especie de receptora de relatos más o menos verídicos con el tema de la magia como eje central.

Voy a escribir algunas de esas historias aquí. Mientras, me gustaría que me imaginarais como en aquellas series de televisión de los setenta u ochenta, en plan *Tales from the Crypt, Amazing Stories, Creepshow,* o la mucho más patria *Historias para no dormir,* sentada en un sillón de cuero al lado de la chimenea, con un libro antiguo y decrépito sobre mis rodillas (o, ya puestos, con una pipa en la boca, cual Chicho Ibáñez Serrador) y, sobre todo, con esa sonrisa misteriosa que lucían los narradores, sabedores del final de todos aquellos cuentos que nosotros, adolescentes, ilusos, íbamos a escuchar por primera vez. Muchas gracias, siempre he querido ser una mujer misteriosa envuelta por el humo de los secretos. Y ahora, amiguitos, acomodaos junto al fuego y prestad mucha atención.

Empezaré con dos historias muy parecidas, sucedidas en tiempos y lugares diferentes. Las dos tratan de jóvenes novias hechizadas por la familia del marido. Una sucedió en Marruecos, a una chica que conozco bien y a quien llamaré Fátima aunque éste no sea su verdadero nombre: Fátima trabaja en un alto cargo en la Cámara de Comercio, ha estudiado Derecho y habla cuatro idiomas. Es musulmana, pero no se corresponde en absoluto con la idea que tenemos de una musulmana tradicional, porque se trata de una mujer moderna y culta, siempre muy elegantemente vestida a la última moda. De repente, empieza a sufrir mareos y vómitos y adelgaza de forma preocupante. Una mañana se levanta completamente enajenada. Empieza a gritar al marido profiriendo todo tipo de obscenidades y dice que se quiere tirar por la ventana. La familia la lleva a ver a un alfaquí y éste dictamina que Fátima ha sido hechizada por las hermanas de su marido, sus cuñadas. Tras una sesión de exorcismo con azoras del Corán e invocaciones, Fátima se pone bien.

La segunda le sucedió a la madre de un amigo mío. Ella es gallega y se casó con un cubano. Al poco de casarse empieza a sufrir depresiones profundas y después asegura que oye voces. Sus cambios de humor son espectaculares. Visitan a todo tipo de psiquiatras y prueban, sin resultado, con diferente medicación. Cuando ya están hablando de internarla, su madre —que, como buena gallega, sí cree en la magia— propone visitar a un cura jesuita especializado en exorcismos. La historia se repite: otra vez el cura asegura que son las hermanas del marido las que han hechizado a la joven esposa, pero esta vez el exorcista da más datos. Asegura que el trabajo se ha realizado mediante un regalo, algo que ha estado en contacto con el cuerpo de la mujer. La madre recuerda entonces el vestido de boda, que había sido confeccionado, precisamente, por encargo de las hermanas del novio. Aquel detalle sorprendió en su día, porque era bien sabido que la familia de él no aprobaba el enlace y resultaba extraño que ofrecieran un presente tan caro, pues el vestido lo había realizado la modista más cotizada de La Coruña con las mejores sedas y encajes que podían conseguirse en la ciudad. De todos es sabido el valor simbólico de un vestido de novia. A cualquiera que tenga interés por el mundo de la moda no se le escapará que supone, en un desfile, el momento estelar de la presentación de una colección. Es el punto culminante y el cierre, la traca final, cuando el diseñador aparece por fin sobre la pasarela junto a la modelo de caché más cotizado de entre todas las que han evolucionado sobre la pasarela, ella vestida de novia, los dos radiantes para recibir los aplausos del público, y es el traje nupcial la prenda en la que, se supone, el autor ha echado el resto de su arte y maestría. Lo que no es tan conocido y sólo saben aquellos que hayan tenido relación con una modista es que en torno a la confección de un traje de novia hay toda una serie de tradiciones y mitos que hacen de su elaboración casi un ritual. En una ciudad de provincias, por ejemplo, se distingue a las modistas buenas de las malas porque las primeras se atreven a hacer trajes de novia mientras que las otras no. Y es que hacen falta muchos arrestos para atreverse a cortar unas telas tan caras y para firmar una «obra» que va a ser analizada por rivales y posibles clientas con mil ojos. Mercedes, mi amiga y editora, hija de otra Mercedes muy buena modista, me ha contado que su madre se hacía fotos con todos los trajes de novia que cosía justo antes de entregarlos, y es que son el equivalente a los premios o trofeos de una buena profesional. Pero, además, me asegura que las aprendizas del taller de costura, la mayoría chicas jóvenes y solteras, solían coser en los dobladillos de la falda de la novia mechones de su pelo para casarse pronto y todas se rifaban por trabajar, aunque sólo fuera un poco, algún momento en el traje. Tocarlo daba buena suerte. Como los vestidos de bautizo, como las mortajas, la ropa que se lleva en los momentos trascendentes también lo es, y de ahí que lo que se ha vestido en los días felices se cargue de fuerza y, en muchos casos, como una joya, vaya pasando de madres a hijas durante generaciones, como esos faldones de bautizo ya desgarrados por tantos bebés que uno tras otro van heredando de hermanos a primos o hijos. Pero, en este caso, el vestido de novia que nos ocupa no llevaba mechones de muchachas ilusionadas prendidos a los bajos. La madre de la hechizada buscó el traje, que se conservaba entre naftalina, y se centró en descoser la pechera, muy elaborada con drapeados complicados destinados a resaltar el busto y el escote. Al abrirla y levantar los refuerzos y los frunces, apareció lo que andaban buscando: hierbas, papel de pergamino con el símbolo de Saturno dibujado y una invocación en latín. Y no a los pies de la novia, como los mechones de las solteras que querrían ser arrastrados por el suelo bendito de la iglesia, sino junto al corazón, bien apretados al pecho de la novia, resaltando sus formas el vestido, pero impidiéndole respirar, vivir. El cura roció a la hechizada con agua bendita mientras leía invocaciones en latín, quemaron el vestido, como sólo puede hacerse con algo de tan mal fario y para impedir que nadie más se lo pusiera, y la joven esposa se curó.

En teoría estas dos historias pueden tener una explicación perfectamente racional. Porque si una chica joven se casa con un hombre cuyas hermanas (solteras o no) no aprueban el casamiento, podemos dar por supuesto que éstas van a hacer la vida imposible a la joven esposa, sobre todo en entornos en los que las mujeres no trabajan fuera de casa y por lo tanto disponen de más tiempo libre para conspirar, establecer alianzas y dedicarse a hacerle la vida imposible a alguien. No nos extraña que las dos protagonistas de estas historias por poco acabaran mal de la cabeza. Una novia joven e insegura deseando agradar en un entorno femenino y hostil... Cualquier psiquiatra hablaría de un trastorno de ansiedad y/o de una psicosomatización.

Así lo definiría Isaac, uno de los protagonistas de *Cosmofobia:*

> Estos casos evidencian cómo los síndromes psiquiátricos mayores, si bien son fenomenológicamente universales, están determinados en su expresión clínica por factores culturales. La enfermedad mental y la experiencia religiosa/social son inseparables en algunos casos. Debemos conocer el marco cultural de un paciente antes de aventurar un diagnóstico o un posible tratamiento, puesto que a veces es enorme el papel que juegan la red familiar y las creencias religiosas en la manifestación simbólica de un hecho traumático. Por lo tanto hay que tener en cuenta que los aspectos culturales modelan y dan forma a la presentación de una enfermedad. En otras palabras: que, no existiendo formas clínicas propias de una cultura dada, cada cultura facilita cierto tipo de comportamiento. Ciertos discursos etiológicos privilegian a las figuras psicopatológicas que remiten a creencias como la posesión o los hechizos. En el caso

de las jóvenes esposas, al atribuir la razón de sus cambios a un hechizo elaborado por sus cuñadas, situaron el origen de su problema en un acto externo, de forma que evitaban reconocer sus propios problemas con sus maridos. El hechizo que las esposas creyeron sufrir no es sino una metáfora que nos transmite el profundo conflicto psicológico tanto individual como interpersonal de las jóvenes.

O sea: que cualquier psiquiatra nos diría que la intención del hechizo existió, pero que las esposas no enfermaron por acción de la magia, sino como consecuencia dc una presión que no podían soportar. Y si los exorcismos surtieron efecto y las curaron, fue porque las dos jóvenes estaban convencidas de que se curarían. Supongo que Jodorowsky tendría mucho que decir al respecto, pues, según él, el inconsciente toma los actos simbólicos como si fuesen hechos reales, de manera que un acto mágico-simbólico-sagrado puede modificar el comportamiento del inconsciente y, por consiguiente, si está bien aplicado, curar ciertos traumas psicológicos. Así que el acto mágico-simbólico del alfaquí o del cura o de la madre gallega, experta y desconfiada, de una joven inexperta sí sanó a nuestras esposas. Las muchachas acudían fervorosas a que las curaran y se sobrecogían en el contexto religioso, pues desde el principio concedían al alfaquí y al sacerdote poderes divinos, y su inconsciente asumía por verdaderas tales capacidades, obrándose así el «milagro» de la sanación. El lenguaje del inconsciente es metafórico, y por tanto no se le puede hablar directamente. Como la enfermedad surge de un conflicto a nivel inconsciente, la única manera de curar es a través de un acto psicomágico, que es un acto metafórico.

Conozco, sin embargo, otras dos historias en las que es más difícil de encontrar la explicación racional.

La primera me la contó mi editor francés y se refiere a un famosísimo escritor conocido por sus problemas de bebida y sus depresiones. Según mi editor —que también lo fue en su momento de este escritor— todos los males del literato se remontan a una historia de hechicería. Parece ser que la mujer del novelista le dejó por otro hombre. Él recurrió entonces a un mago africano bien conocido en París que cobraba unas sumas desmesuradas. Un trabajo del hechicero venía a costar tanto como un coche utilitario, pero se decía que los resultados eran espectaculares y, al fin y al cabo, nuestro protagonista era —y es— bastante rico. Así que encargó al africano que enviara una maldición a la pareja. Al poco tiempo, los dos tuvieron un accidente de automóvil. Él falleció, y ella hubo de pasar una larga temporada en el hospital. Y de ahí el origen, siempre según mi editor, de las depresiones y los problemas con la bebida del novelista, surgidos al amparo de su culpabilidad o, tal vez, porque como dicen muchos brujos blancos sabedores del poder de la magia y reacios a realizar maldiciones, todo mal acto o deseo se devuelve multiplicado por siete a quien lo originó. El psiquiatra que le trata, por cierto, asegura que todo se debió a la casualidad.

La segunda me la contó una amiga cuya familia es de origen guineano, aunque residen desde hace tiempo en Madrid. La historia le sucede a su tía. El marido de la tía conoce a otra mujer y le pide el divorcio, pero la señora, que es muy católica, como tantas guineanas, se niega a concedérselo, y esto sucede en aquellos primeros tiempos de la Ley del Divorcio en los que la terquedad de un cónyuge podía eternizar sine díe un proceso de separación. Al poco, la señora (esto ya lo habrán adivinado ustedes) enferma y se repite la historia de siempre, el rosario de visitas a médicos, los diagnósticos confusos, el agravamiento de los síntomas sin que nadie parezca saber qué sucede y cómo atajarlo... hasta que por fin a la hermana de la señora, la madre de mi amiga, se le ocurre ir a Guinea a visitar a Akoma Mba, el brujo o «hombre preparado». El que conocía la madre de mi amiga trabajaba en una cueva hasta la que había que descender para exponerle el caso que se deseara consultar. Muchos de los que querían librarse de un hechizo debían pasar la noche entera en la cueva, sin calefacción ni luz eléctrica, lo cual me suena más aterrador que cualquiera de los conjuros que pudiera realizar el hombre preparado. En fin, que las dos hermanas se dirigen a la cueva y el mago, como los lectores ya habrán podido imaginar, les comunica que la enferma es víctima de un hechizo, y que quien ha ordenado realizar el trabajo es el ex marido. Hasta ahí, todo previsible y explicable desde la ciencia. Lo que no suena tan explicable es que el mago les dijera: «Tu marido se llama Luis Esteban Ndongo Nsue» (no es el nombre original, evidentemente: lo he cambiado). Resultaba de todo punto imposible que el mago supiera el nombre de la doliente, puesto que, como ya he dicho, las hermanas vivían en Madrid y no conocían prácticamente a nadie en la aldea en la que la cueva del mago estaba situada, de modo que así se aseguraba el anonimato en su consulta y que nadie de España las tomara por locas añadiendo, si cabe, un ingrediente más a los intentos de divorcio del marido: la enajenación mental. El mago, muy sabiamente, le recomendó a la enferma que acelerara los trámites del divorcio, pues si no moriría. Ella siguió el consejo y (como de nuevo habrán adivinado) la enfermedad desapareció como por arte de magia, nunca mejor dicho.

Conozco personalmente a los protagonistas de estas cuatro historias y, si bien en principio fueron otros los que me las contaron y no quienes las habían vivido en primera persona (me refiero al marido de la marroquí hechizada, al hijo de la embrujada mediante un traje de novia, al editor del escritor que creyó haber provocado el accidente de coche de su ex mujer y a la sobrina de la guineana que no se quería divorciar), sí es cierto que más tarde fui conociendo a cada uno de ellos y todos ratificaron las historias que me habían contado. Pero, por supuesto, por mucho que no dude de la sinceridad de mis amigos, ninguno de los relatos tuvo fuerza para convencerme de la existencia de la magia, puesto que al fin y al cabo no los había vivido yo. No fue hasta años más tarde cuando por vez primera viví yo misma una historia que no parecía tener explicación científica, neurolingüística o psicomágica. No fue nada espectacular, no se me apareció el fantasma de mi abuelo ni predije el número ganador de la lotería. Tampoco saltaron cubiertos desde los cajones ni un vaso me reveló mi futuro en un tablero de ouija. Pero sí me hizo dudar de las capacidades de algunos para transformar lo que les rodea y, en su momento, me tuvo varias noches sin dormir. Lo cuento aquí convencida de que tampoco va a impresionar a muchos, y estoy segura de que más de uno encontrará una explicación más o menos racional o científica a lo ocurrido.

El protagonista llegó a ser un amigo muy íntimo, pero a día de hoy hemos perdido todo contacto. Nos conocimos siendo muy jóvenes y siempre había existido entre nosotros una gran afinidad y mucha atracción física que, por una acumulación de factores, nunca se llegó a materializar en romance oficial: no vivíamos en la misma ciudad, cada uno tenía otra pareja en el momento de conocernos y, sobre todo, él era homosexual, pese a que no lo tuviera muy asumido. Cuando le conocí, salía con una mujer, aunque era evidente que le gustaban los hombres. En este cuento he decidido llamarlo Asier.

Asier había perdido a su madre a los nueve años y fue a vivir junto con sus hermanos a casa de su abuela, pues su padre era incapaz de freír un huevo y menos aún de ocuparse de cuatro niños. Además, al señor le gustaba la juerga más que a un tonto un lápiz y su afición al chiquiteo era más que comentada. Al cabo de unos años, la abuela murió también y todos volvieron a vivir con el padre. Como Asier ya había cumplido los quince años y era el mayor, le tocó encargarse de cuidar a la familia. Cocinaba, fregaba, hacía camas y limpiaba, pero como no lo hacía con demasiado esmero, la casa estaba siempre manga por hombro. Poco después el padre, que todavía era bastante buen mozo pese a su edad, anunció que se casaba con una mujer mayor que él y no particularmente guapa. En el pueblo se comentaba que lo había hecho más por darles una madre a sus hijos (por no decir una criada) que llevado por el verdadero amor y hubo, por supuesto, quien predijo una catástrofe, pues se decía, no sin razón, que los niños no iban a aceptar a una madrastra con tanta alegría. Pero se equivocaron. La madrastra se convirtió en amiga de los niños, sobre todo del mayor, que ya no lo era tanto, o ya nada.

A la madrastra en cuestión la vamos a llamar Ana.

Ana era gallega y venía de un pequeño pueblo de Orense. Sus padres habían emigrado al País Vasco siendo ella ya una adolescente y cuando conoció al padre de Asier trabajaba limpiando oficinas, aunque se sacaba un sobresueldo leyendo las cartas a las vecinas. Poco a poco se fue corriendo la voz de que Ana acertaba en sus predicciones y gracias al boca a boca, que suele funcionar en estos casos a velocidad meteórica, cada vez le iban llegando más clientas. Cuando el padre de Asier perdió su trabajo como contable en una fábrica (despido en el que tuvo bastante que ver la afición al alcohol del señor), Ana se lió la manta a la cabeza y abrió un gabinete en su propia casa, con tal éxito que al poco estaba manteniendo ella al marido y a los cuatro hijos (pues como hijos los consideraba ella). El padre de Asier nunca volvió a trabajar, y desde entonces vivieron todos de los ingresos de Ana, que además no tenía que pagar impuestos.

Según me contaba Asier, bastante antes de casarse, cuando apenas acababa de conocer al que sería su marido, Ana había ido a visitar las tumbas de su madre y su abuela y les había dejado unos ciclámenes blancos. Las plantas habían crecido en pocos meses y se habían puesto tan frondosas y lucidas que el propio sepulturero comentaba que no había otras flores tan llamativas en todo el cementerio. Ana entendió que contaba con la aprobación y la protección de aquellas dos mujeres y que le permitían continuar la relación. De todas formas, durante todo el noviazgo siguió visitando ambas tumbas asiduamente. Una vez casada, recogió tierra de ambas y la guardó en un saquito que llevaba siempre en el bolso, como amuleto. Poco después confeccionó uno para Asier, que también lo llevaba siempre consigo. A Asier le convenció de que debía rezar cada mañana a su madre y a su abuela y así ellas le protegerían.

Cuando yo conocí a Asier ya se había independizado, pero su relación con Ana seguía siendo tan estrecha como si vivieran juntos. Se refería a ella como «mi madre», detalle que daba lugar a muchas confusiones porque cuando hablaba de su infancia y mencionaba a su madre, tardaba una en darse cuenta de que era a su madre biológica y no a Ana a quien estaba recordando. La presencia de Ana se hacía visible en toda la casa, y no hablo sólo en sentido metafórico. Si abrías un cajón, te encontrabas con uno de los numerosos ajos machos que ella había ido dejando por cualquier esquina como amuletos protectores, y en cada radiador había colgado un saquito de especias y hierbas —la mayoría recolectadas la noche de San Juan— confeccionado por Ana, cada uno con un fin diferente: el rosa contenía pétalos secos de rosa, ramas de canela y clavos de olor, y servía para atraer el amor. El verde contenía anís, azafrán, arroz, laurel bendecido del Domingo de Ramos y clavel, y servía para atraer el dinero. Y el blanco contenía romero, tomillo, lavanda, ruda y pétalos de rosa de color blanco, y servía para conservar la salud. El calor de los radiadores contribuía a difundir el aroma de los saquitos y de ahí el ligero mareo embriagador que los invitados experimentaban al entrar por primera vez en la casa de Asier.

Yo me enamoré de Asier. Y me enamoré de Asier porque fue el mejor amante que yo nunca haya tenido. Quizá en ello tuvo que ver alguno de los hechizos de Ana, pero lo cierto es que Asier gozaba y ejercía un imperio sobre mí que sólo puedo calificar de mágico. Tenía mi voluntad sometida. Fui su amante durante muchos años, y daba igual con quien estuviera yo saliendo o viviendo, cada vez que Asier me llamaba yo sabía que, si él quería, acabaríamos juntos en la cama. He intentado explicármelo muchas veces, por qué me perdí en semejante dédalo angustioso, en tan inútil laberinto de espejos. Quizá el hecho de que me supiera la única amante mujer entre una infinidad de conquistas masculinas me hacía sentirme especial, elegida. Me hacía mujer múltiple y una. Quizá creía poseer en los brazos de Asier, como por experiencia vicaria, a todos los jóvenes de cuerpos flexibles y miembros enhiestos que él conquistaba y que a mí me quedaban vedados. Pero probablemente la explicación más obvia resida en el hecho de que, al no ser mi género el primero de sus objetos de deseo, la penetración para él no constituía el objetivo prioritario. Al contrario que el resto de los varones con los que he tenido trato carnal, el sexo con Asier no acaba convertido en un trámite de puro y duro metesaca. Por eso, porque el sexo siempre es algo más que simple instinto, resulta aterradora esa insistencia de algunos hombres en concebir un encuentro como mero coito mecánico, como si no existieran otras experiencias sexuales que no estuvieran necesariamente asociadas a una penetración rápida e intensa, de las de golpes, gritos, jadeos y que se enteren los vecinos, a un coito directo y autosuficiente, disociado del ámbito de la ternura o del juego, que asombra por su pobreza; como si la relación sexual no ocultara otras promesas, otras maneras de realizarse; como si el contacto de un cuerpo con otro cuerpo se redujera a una mera expresión genital, limitándolo a una relación con un solo objetivo contrastado —la eyaculación del uno y las contracciones de la otra— que negara las posibilidades subversivas del cuerpo como medio de expresión o de contacto. Pero Asier era diferente. Para él no existía diferencia entre lo que comúnmente llamamos «prolegómenos o previos» de lo que consideramos —equivocadamente— «el acto sexual en sí». Podía pasar horas lamiéndome, no sólo la entrepierna, sino todo el cuerpo, incluidos rincones que normalmente no se exploran, como las axilas, la curva de las nalgas o los intersticios que hay entre los dedos de los pies. Su lengua candente avanzaba como un disciplinado guerrero, presa en la voluntad de unos labios sometiendo otros labios a su voluntad. Sabía también pellizcar, morder y arañar, y a su lado la delgada línea que separa el placer del dolor se difuminaba por completo, era tierno incluso cuando era cruel y era cruel incluso cuando era tierno: era adictivo. Y era imposible. Se le podía tocar, o besar, o incluso morder, pero no se le podía poseer. Nunca sería totalmente mío, y probablemente eso le hacía más deseable, atrapada como yo estaba por entonces, como he estado tantos años, por el anhelo absurdo de lo imposible. Le amaba en una guerra que me iba a la vez desgastando y enriqueciendo, con el miedo y la incertidumbre prendidos en la garganta, le amaba valorando cada minuto que se me escurría entre los muslos, le amaba porque no era mío y nunca lo sería.

Cuando sucedió la historia que voy a relatar Asier tenía treinta y muchos años y llevaba cuatro viviendo en Madrid con el que él creía el amor de su vida, un chico al que llamaremos Bingen. Los dos parecían muy felices y daba la impresión de que mantenían una convivencia muy armoniosa. Mucha gente comentaba la buena pareja que hacían, y así fue durante tres años y pico, tres años y pico en los que mis contactos sexuales con Asier se redujeron hasta casi lo imposible. Tres veces en tres años, todas en mi casa, pues él no quería ensuciar su nidito de amor con mis flujos o con los rastros de mi presencia culpable, que empañaba aquella relación idílica, relación idílica que yo aceptaba como poderosa e inevitable, con la misma resignación con la que se aceptan las tormentas, los terremotos y las catástrofes naturales, pero que no me acababa de gustar, por supuesto. Por eso no me tiembla la mano al teclear que me alegré cuando todo comenzó a deteriorarse a raíz de unas vacaciones en Mallorca en las que tuvieron que separarse: a la isla viajó sólo Asier, ya que Bingen no pudo acompañarle por problemas de trabajo. Asier intentaba llamarle a diario, pero nunca conseguía localizar a su compañero. Por aquel entonces no existían los móviles (o quizá sí existían, pero en la práctica casi nadie los usaba, pues las llamadas salían carísimas) y siempre que Asier llamaba a casa saltaba el contestador. Cuando por fin mi amigo regresó a Madrid tuvo una trifulca sonada con Bingen que marcó el principio de un declive cuesta abajo en la relación. A partir de entonces Bingen se mostraba cada vez más distante y siempre que Asier le preguntaba qué sucedía, a qué se debía semejante cambio de actitud, todo se le volvía decir lo mismo: que Asier era un intrusivo, un celoso y un exigente, y venga a recordar la bronca de la vuelta de Mallorca incluso cuando ya habían pasado semanas y meses desde entonces. Como suele suceder en estos casos, cuanto más ansioso se ponía Asier y más esfuerzos hacía por recuperar a su novio, más distante y evasivo se volvía Bingen, hasta el punto de mostrarse verdaderamente cruel. Recuerdo que algunas noches en las que salíamos juntos Bingen prácticamente no le dirigía la palabra a su novio, el cual, inasequible al desaliento, no hacía sino prodigarse en inútiles sonrisas y palabras dulces que no surtían el más mínimo efecto como no fuera el de poner a su pareja de aún peor humor. Más de una vez le dije a Asier que debería dejar a Bingen, pero él no quería siquiera oír hablar de eso. «Esto es sólo un bache», me aseguraba. «Nosotros nos queremos mucho, lo vamos a superar.» En fin, el tipo de cosas que dicen todos los enamorados cuando se niegan a ver lo evidente para todos menos para ellos.

Por fin, lo que tenía que suceder sucedió. Asier pasó la Navidad en casa de sus padres y, a la vuelta, se encontró con la casa medio vacía y una nota de Bingen, que había llamado a un camión de la mudanza y se había llevado sus cosas a otro apartamento. Lo que más llamaba la atención era la frialdad con la que había ejecutado toda la opcración, sin avisar a su compañero ni darle opción a llorar, negociar, protestar o suplicar. Asier, como los lectores pueden imaginar, estaba devastado. Me telefoneó en una crisis de sollozos tan amarga que pensé de verdad que estaba a punto de tirarse por la ventana o algo parecido, así que cogí el primer taxi que pillé y me presenté en su casa, donde me lo encontré con el rostro desencajado, hecho un mar de lágrimas y temblando como un cachorrito. En todos los años que llevábamos de amistad —y habían sido muchos— nunca lo había visto así, y verdaderamente me asusté. De modo que al día siguiente llamé a su trabajo y anuncié que Asier tenía una gripe de caballo y que el médico le había recomendado quedarse en casa. Luego fui a la mía, hice una maleta, volví a coger un taxi y me presenté de nuevo en su casa dispuesta a hacer de enfermera, confidente y paño de lágrimas durante los días siguientes.

Hasta el desenlace final no se le pasó por la cabeza a Asier lo que habría debido sospechar desde el principio: la posibilidad de que hubiera una tercera persona implicada en aquel desencuentro. Pero todo hacía pensarlo, desde la desaparición de Bingen en aquellas vacaciones a Mallorca hasta la poco elegante deserción final, pasando por sus silencios huraños y sus salidas de tono.

Sin embargo, como todo acaba por saberse, y especialmente las malas noticias, que se propagan más rápido que la gripe, al poco tiempo comprendimos la causa de la marcha de Bingen, una causa que medía metro setenta y cinco, tenía los ojos negros, se llamaba César y era —esto es lo peor— un amigo de la pareja. Bingen se había ido a vivir con él y llevaban liados (supongo que esto también lo habrán adivinado los lectores) desde que Asier se fue a pasar aquellos días a Mallorca. «Debí haberlo adivinado», exclamó Asier, casi llorando, cuando se enteró. Porque a Bingen le había sobrevenido el típico ataque de *mencionitis* que delata a los infieles, y era cierto que en los últimos meses hablaba mucho de César. Y torturaba a César el recuerdo de que, en la cama, y justo después de haber echado un polvo, Bingen le había contado a Asier que la revista de la que César era director —una de esas chorradas modernas sobre arte y tendencias— estaba atravesando serios problemas financieros y le sugirió a Asier que invirtiera en ella, cosa que a Asier ni se le pasó por la cabeza, porque no le parecía que pudiera tratarse de una inversión rentable, ya que a él la revista le parecía vulgar y mal escrita y daba por hecho que cualquier lector con un mínimo de criterio y dos dedos de frente compartiría su opinión. Lo más fuerte de todo es que, cuando conocieron a César —pues Asier y Bingen lo conocieron a la vez, en una cena en casa de unos amigos comunes—, éste se había pasado la noche coqueteando más o menos descaradamente con Asier y no con Bingen, atraído probablemente por el aura de glamour de Asier, que ya por entonces empezaba a ser considerado un valor emergente en el campo de la fotografía y acababa de exponer parte de su obra en Arco. «Y lo peor es que César ha estado en mi casa. Cuando yo me fui a Mallorca hicieron una fiestecita aquí, con Javier y otros amigos, el mismo Javier me lo contó... Pero a mí ni se me ocurrió dudar de la fidelidad de Bingen... Yo es que soy memo.»

Asier estaba destrozado. Destrozado en su orgullo y en su autoestima, como es lógico. Pero, además, estaba indignado. La rabia se le comía por dentro como la carcoma a la madera. No podía concebir que Bingen y César le hubiesen estado mintiendo con tanto descaro durante tantos meses y rebullía de ira cuando recordaba cómo Bingen le había acusado de intrusivo, de absorbente, de agresivo, intentando ocultar bajo la cortina de humo de sus reproches la verdadera razón de su malestar: la confusión, la indecisión, la incapacidad de tomar partido entre su pareja oficial y su amante y, probablemente, también la culpabilidad. Asier se volvió medio loco. Adelgazó a ojos vistas, no dormía y se irritaba por cualquier cosa. No mejoró su ánimo el hecho de que llegaran a nuestros oídos, a través de amigos presuntamente bienintencionados, las noticias sobre la felicidad de la nueva pareja, que acudían juntos y con expresión radiante a todos los actos sociales a los que César estaba invitado en su calidad de director de una revista de tendencias. Yo, mientras tanto, seguía instalada en la casa de Asier, porque le veía tan mal que me daba la impresión de que podía hacer cualquier tontería, desde saltar por la ventana a prenderle fuego a su cama. Seguíamos acostándonos juntos, un torbellino de lenguas alzadas, un carrusel de ombligos cada noche, y yo sentía que Asier me utilizaba como podría estar usando unas pastillas de Lexatin, como sedante. Desfogaba en mí su rabia y su frustración, y a la mañana siguiente mi cuerpo aparecía constelado de cardenales. Veía las marcas de los dedos en el cuello y me sorprendía de lo que él había sido capaz de hacer y yo había soportado. La boca me sabía amarga, a metal y a suciedad, a miedo. Pero no me sentía capaz de marcharme. Era más fuerte que yo.

A todo esto, Asier no se había atrevido a comunicarle a Ana la noticia porque sabía que ella le profesaba a Bingen un gran cariño y no quería hacerla sufrir, así que cuando Ana llamaba —lo hacía casi a diario— él respondía con una falsa alegría festiva con la que intentaba disimular su desesperación. Ana era bruja, pero no le hubiera hecho falta serlo para darse cuenta de que algo malo pasaba, porque Asier, al contrario que Bingen, era muy mal mentiroso, de modo que acabó por preguntar y, claro, deseoso de consuelo, Asier acabó por contar. Y mantuvieron una conversación larguísima que duró más de una hora, o eso me lo pareció a mí, que escuchaba, desde el salón, cómo mi amigo desgranaba quejas y reproches tumbado en su cama, en la oscuridad de su habitación. Me lo imaginaba en posición fetal, dirigiéndose a su madre como el niño desvalido que implora protección. Cuando por fin salió, vi su cara iluminada por una sonrisa, por primera vez desde que se enterara de la partida de Bingen.

—Está decidido —anunció—. Los voy a separar.

—¿Qué tonterías estás diciendo? —le pregunté, convencida de que el sufrimiento le había hecho perder definitivamente la cabeza.

—Mi madre me ha explicado cómo hacerlo, ella lo ha hecho muchas veces, no es complicado.

Y pasó a explicarme lo que Ana le había contado: al parecer, existía un hechizo muy potente para separar parejas que sólo funcionaba cuando esta unión era el producto de una traición. Más que un hechizo se trataba de una atadura de ambos, que debía realizarse durante los siete días de la luna nueva, en ese momento en el que la luna no se ve y que se suele reflejar en los calendarios como un círculo negro o relleno de un color. Me sorprendió mucho el detalle, puesto que yo tenía entendido hasta entonces que nunca se debía realizar un ritual que necesitara de mucha potencia bajo los influjos de esta luna, puesto que representa lo que todavía no se ha hecho o no se ha conseguido y que, por tanto, la luna nueva no tiene magia. Pero Asier me explicó que los siete días de la luna nueva constituyen un momento adecuado para tirar maldiciones u otros hechizos de índole negativa, porque el recipiente de la maldición se encuentra con un nivel bajo de defensas, ya que la energía psíquica dc cada uno se nutre de la luz de luna. Le repliqué que, de igual manera, quien lanzara la maldición también se encontraría con niveles bajos de energía.

—Pero con adecuada concentración este obstáculo puede ser vencido —me aseguró Asier, muy convencido—. Y la ira es un motor muy potente, créeme.

—Pero ¿tú estás seguro de que quieres lanzar una maldición, Asier? Yo siempre he oído decir que si realizas magia negra la energía negativa acaba volviendo contra ti antes o después...

—Pero esto no es magia negra. Se trata simplemente de devolver lo que han hecho. Este hechizo sólo funciona en parejas que se han unido traicionando a un tercero. Voy a usar su propia energía negativa en su contra.

—¿Y por qué vas a hacer tú el conjuro? ¿Por qué no lo hace Ana?

—Porque soy yo quien debe hacerlo. Yo soy el agraviado, el que más fuerza puede mover.

Ni siquiera se me ocurrió disuadirle de su propósito porque le veía iluminado por la imparable energía del creyente y sabía que nada de lo que pudiera decirle le haría cambiar de opinión. Además, tampoco creía que la magia de Ana fuera a ser capaz de separar a pareja alguna, así que si a Asier le daba por jugar al aprendiz de brujo, ése era su problema y a mí me la traía bastante floja. Además, quizá el ritual le sirviera para soltar toda la rabia que llevaba dentro.

Acompañé a Asier, eso sí, a buscar lo que iba a necesitar, y lo hice llevada no sólo por la curiosidad y el morbo, aunque también, sino, sobre todo, atada a Asier por ese extraño lazo obsesivo y asfixiante que me esclavizaba. En una mercería compramos plomillos de los que se usan para coser en el dobladillo de las faldas y evitar que éstas se levanten a un golpe de viento. Asier necesitaba alfileres de cabeza negra, pero no los había, así que los compró de cabeza blanca y más tarde pintó las cabezas, de una en una, con esmalte de uñas. Fuimos después a una tienda especializada en materiales esotéricos donde adquirimos un saquito de azufre, polvos de vid roja, uña de gato (no tiene nada que ver con los felinos, se trata de una madera) y un montón de velas negras —muchos años después, frente a la pantalla del televisor, me acordaría, viendo a la pitonisa Lola, de aquel día lejano en el que participé en un conjuro de desamor—. Nos llevamos también un «aceite de separación» increíblemente caro e importado, según rezaba en la etiqueta, del Brasil. Después fuimos a una ferretería a comprar clavos de todos los tamaños, a una droguería para hacernos con cuchillas de afeitar y al colmado a por sal marina, vinagre y guindillas. Supongo que se me está olvidando alguno de los ingredientes, pero tanto mejor, porque tampoco me apetece darle ideas a nadie.

Se suponía que yo no iba a ayudar a Asier a realizar ninguno de los rituales y que ni siquiera asistiría a la ejecución del conjuro, pero la curiosidad me comía y no pude por menos que preguntar cuáles eran exactamente las ceremonias que pensaba realizar. Si no me extiendo en explicarlas es porque no quiero que ninguno de mis lectores pueda repetirlas dado que, a día de hoy, creo en su efectividad. Me limito a reseñar que cada noche había que quemar una vela negra y que junto a ella se realizaba un hechizo distinto. En dos de las noches había que mezclar ingredientes dentro de una botella que debía enterrarse al cabo de la semana en un lugar donde la hierba no creciera y una de aquellas noches era la más potente de todas: el sábado, la noche de Saturno.

Aquella semana la luna nueva comenzaba en miércoles, y el miércoles, jueves y viernes Asier se encerró en su habitación para hacer los hechizos. Desde el salón, al que llegaba un penetrante olor a incienso y azufre, yo escuchaba amortiguado el runrún de las invocaciones de Asier. No conseguía dormir y me devanaba los sesos imaginando qué extrañas liturgias podría realizar. Por fin, el sábado por la mañana me armé de valor y me atreví a pedirle a Asier que me dejara contemplar el ritual más importante, el de esa noche. Se supone que un sábado en luna nueva es el día más poderoso para realizar hechizos maléficos, dado que el sábado es el día de Saturno, el Gran Maléfico.

La proverbial crueldad de Saturno es, según los astrólogos, de naturaleza opuesta a aquella de Marte, el Pequeño Maléfico; es fría, persistente, implacable y rencorosa. Saturno es el planeta de la limitación y humillación, y representa también al juez justo que recompensa o castiga las acciones de cada quien. Antiguamente, muchos astrólogos veían en Saturno al ente maléfico que aparejaba la mala suerte. El color de Saturno es el negro, y siempre que hay influencia de Saturno aparece la negrura: la negrura interior, la negrura exterior, el duelo. El futuro negro y los negros pensamientos. Saturno rige la vejez, Saturno es viejo, el viejo destronado por sus hijos, el viejo que se come a los niños, el viejo que devora y engulle toda la posibilidad de vida nueva en su sistema de orden, de rigidez, de limitación; el viejo opuesto a todo lo que sea joven. En la astrología, y especialmente en la heredada a través de los árabes y que todavía es una práctica contemporánea, el planeta Saturno se considera la fuente de todas las desgracias. Saturno rige los muertos, los cementerios, las ratas, los murciélagos, los lugares oscuros, la soledad y la tristeza, la envidia, la avaricia, la codicia, la desconfianza. Por todo esto, cualquier maldición enviada bajo su influjo multiplica su fuerza.

—No me importa que estés a mi lado, pero tienes que prometerme una cosa —me advirtió—. Durante todo el tiempo que dure el rito has de concentrarte en separar a Bingen y César, para que tu fuerza se sume a la mía.

Me lo pensé durante un minuto. Yo no quería enviarle ninguna maldición a nadie, pero no por un imperativo moral, sino más bien por miedo, no fuera que las malas vibraciones se volvieran contra mí. En realidad, sí que pensaba que Bingen se había comportado como un perfecto hijo de puta, y a César siempre lo había considerado un arribista y un trepa de mucho cuidado. No me iba a costar nada concentrarme en desearles que el amerengado amor que paseaban por los garitos de moda se les fuera al carajo. Además, no creía que la maldición pudiera ser efectiva, puesto que todos nuestros amigos y conocidos decían y repetían que se les veía tan felices... Dejando aparte que, como ya he dicho, yo creía que la magia la creaba uno mismo y no un poder sobrenatural. Así que finalmente asentí con la cabeza.

—Me concentraré en separarles, te lo prometo.

No voy a contar, ya lo he dicho varias veces, cómo se hizo exactamente el rito. Sí diré que incluía dos velas negras, y que cada una llevaba grabados con una aguja los nombres y apellidos de Bingen y César. Añadiré que las velas habían sido previamente bañadas en aceite de separación sobre el que se había espolvoreado azufre y se había colocado bajo cada una de ellas un pedazo de plomo. Hubo intervención de alfileres con cabezas negras y se utilizaron dos fotos de los dos traidores y tierra del saquito que Asier solía llevar consigo, proveniente de las tumbas de su madre y de su abuela. También puedo transcribir la invocación que me aprendí de memoria porque la repetimos nada menos que trece veces:

*Saturno, planeta del castigo y el más siniestro de los siete,*
*y Luna de Lilith, que operas en la sombra,*
*humildemente venimos a suplicaros un favor.*
*Os rogamos que intervengáis con vuestra divina justicia*
*y que separéis*
*a la pareja compuesta por Bingen y César.*
*Que como ellos han mentido, entre sí se mientan,*
*que como han traicionado, entre sí se traicionen,*
*que el daño y la angustia que causaron, en sus corazones lo sufran,*
*que las llamas del mal consuman su unión como el fuego la cera de estas velas*

*y que todo esto se realice sin daño para nosotros ni los nuestros.*
*Gracias te damos por anticipado, Príncipe de lo Oscuro.*
*Cuando esto suceda, detente, y no regreses hasta que otro te requiera.*

Evidentemente, al cabo de repetir la misma oración tantas veces y sugestionados por el aroma de la mezcla de incienso y mirra que en el sahumerio se quemaba, resultaba fácil caer en un trance hipnótico. Llegó un momento en que me fue sencillo visualizar no sólo la separación de Bingen y César, sino la misma encarnación de Saturno transformado en un murciélago que nos sobrevolaba. Creo que entré en un estado de duermevela y que soñé despierta. Un chisporroteo vino a sacarme del ensoñamiento. De la vela saltaban chispas en un impresionante espectáculo pirotécnico. Al principio pensé que realmente Saturno se había manifestado hasta que caí en la cuenta de que aquella especie de fuegos artificiales caseros debían de ser efecto del azufre. Por fin la vela se apagó y, cuando los rescoldos se extinguieron definitivamente, recogimos los despojos (una mezcla informe de plomo fundido, cera, azufre, tierra de cementerio y no sé cuántas cosas más) y los metimos en una bolsa negra que Asier tenía a tal efecto preparada y que pensaba enterrar en el mismo sitio donde ya había enterrado los frascos. Después nos fuimos a dormir, juntos. Y nos enzarzamos en una nueva batalla de antemano perdida. Hiriéndome en una guerra de sexo enloquecida, devorándome a caricias, a besos y a mordiscos, sometiéndome con su vaho caliente en la nuca, Asier me marcó todo el cuerpo, me tiró del pelo, me arañó la espalda, me sujetó de las muñecas hasta que casi me cortó la circulación. Me abría en llaga viva, casi quemadura, huella del fuego que me consumía, y yo le dejaba hacer, transportada más allá de lo inasible, de la memoria y el recuerdo, mientras pensaba que Asier era horrible por tratarme de esa manera, o que era un genio por conseguir que yo me dejara hacer, y seguía bailando al ritmo de su latido salvaje, respirando la tersura acre de su piel sudorosa; entregándome mansa, sumisa, laxa como una muñeca de trapo expuesta a adornos y miradas; ofreciéndome como un lienzo en blanco sobre el que él creara su obra de arte, con su sangre y su saliva y su semen, convencida de que el propio Saturno asistía a mi amante, y de que de nada serviría oponer una resistencia que, en cualquier caso, yo no buscaba: me gustaba sentirme sometida. Era como si aquella solitaria oscuridad fuera cuanto me quedara, como si el mundo de la claridad perteneciera a los demás, como si yo misma fuera una criatura de la noche, resignada —incluso feliz— a no ser sino sombra y silencio, orbitando en torno a un tiránico planeta, Saturno, que imponía su sombría autoridad frente a la obstinada cordura del mundo exterior.

Por fin caímos dormidos, ambos sudorosos, yo dolorida, cuerpo junto a cuerpo. Me despertaban continuamente las vibraciones de la cama cuando él se acercaba a mí y me torturaba con su presencia, con su roce, que renovaba mi deseo y no lo satisfacía, consumida por el recuerdo de sus mordiscos secretos en la misma pulpa de la vida, en renovado dolor que me impedía reconciliar el sueño interrumpido. Durante toda la noche me acosaron pesadillas en las que el murciélago maléfico me perseguía y la sombra de sus luciferinas alas desplegadas sobre mí me oscurecía todo el paisaje, mientras yo descendía, inexorablemente, hasta el octavo círculo. Desperté con tal crisis de ansiedad que me tuve que tomar uno de los Lexatines que Asier guardaba en la mesilla de noche, a los que se había hecho prácticamente adicto desde que supo que Bingen estaba viviendo con César.

Pero eso fue hace tiempo... y ahora me cubren alas de otros ángeles, también oscuros y esquivos.

No habían pasado siete días cuando me encontré con Bingen, que se cruzó conmigo en una acera de la Gran Vía. Aquel encuentro casual me resultaba raro, dado que Bingen no vivía ni trabajaba por la zona y yo había ido hasta aquel barrio, por el que no suelo moverme, a visitar a una conocida enferma.

—Bueno, ya me han contado que estás muy feliz con César... —dije, tras los dos besos de rigor.

—No tanto, o más bien nada... Hemos cortado. Oye, ¿no sabrás de alguien que alquile un apartamento barato? Me corre bastante prisa porque de momento estoy en un hotel.

Me quedé boquiabierta en el sentido más literal de la palabra, pues hasta entonces pensaba que la expresión era metafórica, pero la mandíbula se me desencajó de la impresión. No pregunté nada más porque apenas acertaba a articular palabra, hasta que me di cuenta de que Bingen me miraba con ojos extrañados.

—Oye, ¿te pasa algo?

—No, nada... Nada. Es que estoy haciendo una dieta de esas de mil calorías y a veces me da por quedarme así... Un poco ida. Nada, que si sé de algún apartamento te llamo urgente, te lo prometo. Bueno, pues te dejo porque tengo prisa. Que tengas suerte.

Me faltaron los minutos para abalanzarme sobre el teléfono de la primera cabina con la que me encontré y llamar a Asier. Yo estaba excitadísima, pero él pareció tomarse la noticia como la cosa más natural del mundo. Evidentemente, nunca había dudado de la eficacia de los hechizos de la bruja Ana.

Asier y Bingen nunca volvieron a verse, que yo sepa. Yo tampoco volví a ver a Bingen, pues nuestra amistad había sido siempre circunstancial, y Asier, el único vínculo que nos unía. Asier se embarcó en una serie de relaciones efímeras que nunca le duraban más de unos meses, simultaneando a veces el final de una con el principio de otra. Y yo empecé a cogerle miedo, verdadero miedo. Al fin y al cabo, tenía muchas, pero muchas fotos mías, así que si cualquier día le ofendía algo que yo hiciera o dijera, siempre tenía a mano la manera de hacerme pagar el daño que yo le hubiera hecho. Y de este modo nuestra amistad se descompensó, pues la amistad debe estar basada en la mutua confianza, y, evidentemente, si uno teme a otro, esta confianza se desmorona. Además, lo nuestro nunca fue, en realidad, una amistad, sino una relación amo-esclava. Yo comía de las migajas que caían desde sus banquetes, y me sabía plato apetecible, pero no manjar preferido. Y sabía que si le seguía viendo, me perdería. Que me sometería definitivamente a su fuerza maléfica, a su hechizo, y que yo no volvería a ser yo, sino una muñeca de cera.

A veces le recuerdo, y siempre se me viene a la cabeza la misma imagen: Asier frente a las velas, los labios firmemente apretados en un gesto de concentración, como la tapa de una caja, y los ojos encendidos con un brillo fanático. Cierro los ojos para espantar la imagen, para huir de los terrores que habitan, sin que se les haya llamado, el vértigo y el sabor de mis horas; los vuelvo a abrir, y entre lo que veo y no veo se me cuela Saturno a veces.

Procuro espantarlo rápidamente y concentrarme en otra cosa.

## LAS AUTORAS

Nacida en 1966, la aparición en 1997 de su novela *Amor, curiosidad, prozac y dudas* reveló a LUCÍA ETXEBARRIA como una de nuestras narradoras más innovadoras. En 1998 ganó el Premio Nadal con *Beatriz y los cuerpos celestes* y, tras la publicación dc *Nosotras que no somos como las demás* (Destino, 1999), obtuvo el Premio Primavera en 2001 con *De todo lo visible y lo invisible* y el Premio Planeta en 2004 con *Un milagro en equilibrio.*

Ha escrito los ensayos *La Eva futura/La letra futura* (2000); *En brazos de la mujer fetiche* (2002) —junto a Sonia Núñez—, ambos en Destino; *Courtney y yo* (2004); una revisión de *¡Aguanta esto!* (1996); *Ya no sufro por amor* (2005) y el volumen de relatos *Una historia de amor como otra cualquie-*

*ra* (2003). También ha traducido y editado la recopilación de cuentos de autores españoles y palestinos *La vida por delante* (2005). En 2001 publicó el poemario *Estación de infierno,* y en 2006 *Actos de amor y de placer,* que obtuvo el Premio Barcarola.

Entre sus guiones para el cine destaca el de la película *Sobreviviré.* Actualmente dirige la colección de narrativa Astarté y colabora como articulista en diversos medios. Su obra ha sido traducida a veinte idiomas. Es doctora honoris causa por la Universidad de Aberdeen y recientemente ha obtenido el Premio Il Lazio de Literatura, otorgado por el Ministerio de Cultura italiano.

En 2007 publicó *Cosmofobia* (Destino), su última novela, y *La fantástica niña pequeña y la cigüeña pedigüeña* (Destino Infantil), un cuento que invita a los pequeños lectores a vivir con naturalidad las diferencias.

ANDREA MENÉNDEZ FAYA (La Felguera, 1985) estudió Periodismo en un centro adscrito a la Universidad de Wolverhampton, Reino Unido. Dirige el blog http://lajugueteria.blogspot.com (No sólo sexo), creado para discutir y resolver cuestiones sexuales desde su experiencia como dependienta-encargada del sex-shop El Templo, en Gijón, que regenta desde hace más de dos años.

LOLA BECCARIA (Ferrol, 1963) es doctora en Filología Hispánica y terapeuta Gestalt. Trabaja como lingüista en la Real Academia Española y es columnista habitual en distintos medios. Ha publicado hasta la fecha cuatro novelas: *La debutante* (1996), *La luna en Jorge* (finalista del Premio Nadal 2001), *Una mujer desnuda* (Anagrama, 2004) y *Mariposas en la nieve* (Anagrama, 2006). Con una muy buena acogida por parte del público y la crítica, *Una mujer desnuda* ha sido traducida al francés, al portugués, y próximamente al italiano, rumano, etcétera. En el ámbito del cine, es autora, con *La Fura dels Baus,* del argumento para el guión cinematográfico de la película *Fausto 5.0* (VII Premio Méliès de Oro a la mejor película europea de cine fantástico). «Creativa, independiente y original, firme defensora de un talante comprometido con un ideal de coherencia poco dispuesto a plegarse a convencionalismos. Tales postulados sustentan los relatos y el estilo con el que Lola Beccaria reafirma su posición narrativa» (Pilar Castro, *El Mundo*).

Mi nombre en este libro es CECELE, aunque en el DNI figure otro distinto. Cursé Derecho en una pequeña provincia y así aprendí de leyes entre un montón de libros que no me decían nada. Tras coquetear con la abogacía en un despacho, me trasladé a Madrid, donde estudié Periodismo primero y me hice periodista después. Años ha fui reportera de la agencia de noticias más importante del país, y en ella aprendí a entrevistar a políticos de toda índole y a cubrir juicios de maníacos asesinos o sucesos escabrosos en plena calle. Como periodista también he trabajado, entre otros sitios, en alguna editorial de prestigio. Hoy, a mis veintiocho años, mientras espero a que aparezca La Mujer De Mi Vida y a que me llegue la inspiración de la novela que me sacará de pobre, escribo sobre sexo y psicología en dos publicaciones mensuales y sobre ecos de sociedad en un dominical de provincias.

Nacida en Madrid y residente en Nueva York desde hace nueve años, **SILVIA USLÉ** es la autora de *Silvia en Nueva York* (mr ediciones). Fotógrafa de profesión y ex reportera de la agencia Blackstar, ha realizado exposiciones en Europa y Estados Unidos. También trabajó de secretaria para una conocida Dominatriz (pero eso cs algo que pasó hace mucho tiempo). En la actualidad compagina su trabajo con el de auxiliar de policía en la NYPD (New York Police Department), mientras escribc su segunda novela y trata de no morir en el intento.

**MARTA SANZ** (Madrid, 1967) es doctora en Filología y profesora de la Universidad Antonio de Nebrija de Madrid. Ha publicado con la editorial Debate las novelas: *El frío*, *Lenguas muertas* y *Los*

*mejores tiempos* (Premio Ojo Crítico de RNE, en 2001). En 2003 publica en Destino *Animales domésticos,* y en 2006 queda finalista del Premio Nadal con *Susana y los viejos,* obra que también es finalista del Premio Salambó. Ha participado con relatos en volúmenes colectivos como *Páginas amarillas* y *Daños colaterales* (Lengua de trapo), *Escritores contra la tortura* y *Escritores contra el racismo* (ambos en Talasa), *La vida por delante* (Fundamentos), *Todo un placer* (Berenice) y *Leyendas de Bécquer* (451 Editores). Recientemente, ha aparecido en la colección Miniletras una selección de tres relatos suyos titulada *El canon de normalidad.* Ha coordinado la colección de cuentos *Rojo, amarillo, morado. Cuentos republicanos* (mr ediciones / Fundación Domingo Malagón) y ha participado en los volúmenes colectivos de ensayo: *Las miradas de la noche* (Ocho y medio), *Miradas para un nuevo milenio. Fragmentos para una historia futura del cine español* (Ayuntamiento de Alcalá de Henares. Colegio del Rey. Comunidad de Madrid. Generalitat Valenciana–Institut Valencià de Cinematografia Muñoz Suay) y *Montxo Armendáriz* (Ocho y medio). Colabora con el diario *El País* y con el Instituto Cervantes, así como con el blog de literatura «La tormenta en un vaso», la revista digital Literaturas.com y con *Mercurio.* Acaba de publicar una antología de poesía española contemporánea, *Metalingüísticos y sentimentales,* en la editorial Biblioteca Nueva, y de recibir los premios Don Quijote de la Asociación de Usuarios de la Biblioteca María Moliner de Villaverde (Madrid) y Vargas Llosa NH de relatos en su XI edición.

**SILVIA GRIJALBA** ha publicado dos novelas, *Alivio rápido* (Plaza y Janés, 2005) y *Atrapada en el limbo* (Plaza y Janés, 2007) y varios libros de ensayo sobre música, contracultura y cultura pop. Sus novelas se han traducido y publicado en Italia y sus ensayos y biografías en Italia, Alemania y Francia. Como periodista colabora en *El Mundo* con la columna semanal «Sexo en Madrid» y reportajes sobre sociedad y cultura en el diario y el dominical, además de escribir en el suplemento *El Cultural,* del mismo periódico. También escribe una columna mensual sobre cultura en la revista *Glamour.* Ha colaborado como contertulia en programas de televisión como *D-Calle,* de TVE, y *Las Noches Blancas,* de Telemadrid. En 2007 fue seleccionada entre los 500 personajes más influyentes de España, dentro del apartado de los 25 creadores de tendencias, en una encuesta hecha por el diario *El Mundo.*

Espido Freire nació el 16 de julio de 1974 en Bilbao, en el seno de una familia gallega. Se licenció en Filología Inglesa por la Universidad de Deusto, y en la misma cursó también un Diploma en Edición y Publicación de Textos. Durante sus años universitarios participó en distintos talleres literarios, lo que la llevó luego a interesarse por la pedagogía de la creación literaria, y fundó y coordinó diversas revistas.

Espido debutaría como escritora con *Irlanda* (1998). La novela fue galardonada con el Premio Millepage. En 1999 consiguió el Premio Planeta por su obra *Melocotones helados;* se convertía con ello en la ganadora de menor edad en la historia del galardón.

Ha cultivado, desde sus inicios, diversos géneros literarios, ensayo, novela, poesía, aunque siempre ha prestado una especial dedicación a sus trabajos de cuentista colaborando en diversas antologías y publicando tres libros de relatos propios.

Su última novela, *Soria Moria,* ha obtenido el Premio Ateneo de Sevilla 2007 y nuevamente ha sido la autora más joven que se ha alzado con este galardón.

COCHÉ ECHARREN nace en Madrid. Acaba la carrera de Filosofía y hace todo tipo de cursos relacionados con la literatura y el periodismo. Trabaja esporádicamente en departamentos de prensa en empresas tan dispares (¿o no?) como una editorial y una agencia de modelos. Mientras, no deja de colaborar habitualmente en revistas de todo tipo, sobre todo en femeninas *(Marie Claire)* y masculinas *(Man),* y algún dominical. Entrevistas a personajes muy famosos y no tanto, reportajes, artículos, crónicas de viajes... Sobre ser lesbiana y madre protagonizado por mujeres de Nueva York (1998), sobre jóvenes alcohólicos (1999), un recorrido por fiestas con cocaína en Madrid (2000)... En 2001 publica la novela documental *Engancha-*

*das* con Plaza y Janés, que en 2006 vuelve a ver la luz en mr ediciones. Ha participado también en libros de relatos como *Rojo, amarillo, morado*. Actualmente vive con un hombre, tres gatos y con su hija de un año. Prepara una novela y un libro de relatos.

EUGENIA RICO, asturiana, licenciada en Derecho y Relaciones Internacionales, estudió Arte Dramático y Guión de Cine, pero lo dejó todo por la Literatura. Publicó su primer cuento a los once años, desde entonces ganó múltiples y desconocidos concursos de relato y poesía y viajó por Argentina y la India hasta que la irrupción de su primera novela, *Los amantes tristes,* le granjeó el apoyo unánime de la crítica. Con su segunda novela, *La muerte blanca,* ganó el Premio Azorín 2002 y se consagró definitivamente a la literatura. Julio Llamazares ha escrito de ella que es la mejor confirmación de que existen buenos escritores jóvenes en España y el suplemento *El Cultural* de *El Mundo,* la revista *LEER* y el *Periódico de Cata-*

*lunya* escogieron *La muerte blanca* como una de las mejores novelas del año y a Eugenia Rico, como una de las novelistas fundamentales de su generación. Su tercera novela, *La edad secreta,* fue finalista del Premio Primavera de Novela 2004 y su ensayo *En el país de las vacas sin ojos* ha merecido el Premio Espiritualidad 2005. *El otoño alemán,* que se alzó con el Premio Ateneo de Sevilla 2006, la confirmó como uno de los nombres de referencia de la nueva narrativa española. El conjunto de su obra recibió la Beca Valle-Inclán de la Real Academia de España en Roma y sus artículos sobre Solidaridad han ganado en 2005 el Premio de Unicef al mejor artículo del año. «Una de las narradoras de verdad notables de la hornada última» (Santos Sanz Villanueva, *El Cultural).*

IMMA TURBAU nació en Girona en los años setenta. Se licenció en Comunicación Audiovisual por la Universidad de Navarra. Escribió teatro en los ochenta, dirigió un cortometraje en los noventa, y publicó su primera novela, *El juego del ahorcado,*

en 2005, en la editorial Mondadori, que ha sido traducida al portugués y al italiano y adaptada para el cine por Salvador García Ruiz. La película, dirigida por Manuel Gómez Pereira, se estrenará en 2008. Sus cuentos forman parte de numerosas antologías, colabora regularmente en prensa, ha trabajado siempre en medios de comunicación y como gestora cultural.

MARÍA FRISA nació en 1969. Tras licenciarse en Trabajo Social y Psicología Clínica trabajó con personas que padecían deficiencias mentales. Es autora de las novelas *Lo que nunca me dijiste* (2000), *El resto de la vida* (2004), *Breve lista de mis peores defectos* (2006) y del libro de relatos *Uno mismo y lo inesperado* (2007). Su obra narrativa ha sido reconocida con más de cincuenta galardones: Universidad de Deusto, Juan Ortiz del Barco, Villa de Lodosa, Barcarola, Arjona, Universidad Carlos III.

Ha colaborado en revistas de creación literaria como *El problema de Yorick, Guadalmesí* o *Rolde.*

ASTARTÉ SYRIACA, *Dante Gabriel Rosetti*

**ASTARTÉ**. *Ishtar era la diosa fenicia que provenía directamente de la luz, la verdadera soberana del mundo, la diosa-naturaleza. Su nombre derivaba del fenicio* Aster: *el planeta Venus. Ishtar era la diosa del amor erótico pero también sabía ser una madre tierna con los que amaba. Entre los sumerios era conocida como Inana y era asimismo la diosa de la guerra, del amor o de la fertilidad. Se trata de una deidad de carácter astral, ya que personificaba a varios astros: a Venus, al sol, a la luna y a las estrellas reunidas en constelaciones. De su nombre derivan la palabra «estrella» en castellano, que es «izar» en euskera, así como el nombre Itziar. Convertida Ishtar en Astarté, sus fieles extendieron santuarios por todo el Mediterráneo, antecedentes de los cultos a Isis de época romana y de las múltiples formas de devoción mariana con el cristianismo. Se le erigieron templos en Cartago, Sicilia, Cerdeña, Chipre, Cádiz y las marismas de Huelva.*

IMPRESO EN LITOGRAFÍA ROSÉS, S. A.
PROGRÉS, 54-60. POLÍGONO LA POST
GAVÁ (BARCELONA)